PILATES
RÁPIDO

Amiena Zylla · Wolfgang Miessner

PILATES
R Á P I D O

Ponte en forma y mejora tu salud

10 minutos al día de ejercicios
para gente con poco tiempo

HISPANO
EUROPEA

Índice

Ejercicios de Pilates: lo que debería saber 6

Los mejores ejercicios de Pilates 22

Ejercicios de Pilates:
lo que
debería saber

Esto es el método Pilates

Con toda seguridad, en alguna ocasión ha oído hablar del método de entrenamiento Pilates, lo ha probado en el gimnasio o en un estudio de Pilates. Muchos médicos recomiendan el Pilates, los fisioterapeutas aplican el Pilates en sus terapias, los maestros de salud, bienestar o yoga toman algunos elementos interesantes del mismo y los integran en sus clases. El Pilates está en todas las bocas. ¿Pero, en qué consiste? ¿Por qué este método de entrenamiento encuentra más reconocimiento hoy en día que nunca antes, a pesar de que su historia se remonta 100 años atrás? Este libro le brindará en «forma de ejercicios rápidos», aunque suficientemente extensos, las respuestas teóricas y prácticas básicas. En la extensa parte práctica puede tomar contacto paso a paso con los ejercicios, desde el nivel de principiante hasta el avanzado. Con la práctica regular de los ejercicios y la consecuente experiencia, con

«Con 10 horas se sentirá mejor, con 20 horas tendrá mejor aspecto, con 30 horas tendrá un cuerpo nuevo».
Joseph H. Pilates

frecuencia las preguntas se responderán de manera «práctica» por sí solas. Pero, empecemos desde el principio.

¿QUIÉN FUE JOSEPH H. PILATES?

Joseph Pilates nació en Alemania, en 1880. De pequeño sufrió raquitismo, asma y fiebre reumática. Pero, como no quería conformarse con su delicado estado de salud, estudió libros de anatomía y observó durante horas el movimiento de los animales del bosque. Además, Joseph Pilates se dedicó activamente a la práctica activa de diversos deportes como el *body-building*, la gimnasia, la esgrima y el boxeo. La recompensa no tardó mucho en llegar. Con 14 años había desarrollado y entrenado tanto su cuerpo que le permitió sacarse un sobresueldo como modelo para dibujo anatómico. Empezó a dedicarse a los métodos de entrenamiento del Lejano Oriente. Quedó especialmente fascinado por la concentración y el control mental necesarios para su práctica, así como por el papel esencial de la respiración. Poco a poco fue desarrollando su propia técnica de entrenamiento, basada fundamentalmente en movimientos precisos y controlados. Surgió su idea del ejercicio orientado hacia la salud, el cual bautizó como contrología.

> «*Tendrán que pasar 50 años para que se entienda mi método de entrenamiento*».
> Joseph H. Pilates

El programa clásico está constituido por ejercicios de suelo.

En 1912, Pilates se trasladó a Inglaterra, donde trabajó, entre otras cosas, como boxeador y entrenador de autodefensa para Scotland Yard. Después de la I Guerra Mundial volvió primero a Alemania y en 1923 emigró a EE.UU. En el viaje a Nueva York, Joseph Pilates conoció a la enfermera Clara, su futura esposa. Esta se dejó contagiar por su entusiasmo, enriqueció la controlología con aspectos médicos y, de esta manera, perfeccionó el método de entrenamiento. Joseph Pilates abrió su primer estudio en Broadway, donde enseñaba su innovador y poco convencional método. Al poco tiempo obtuvo el reconocimiento de numerosas figuras de la danza, el arte y el teatro. Con el fin de hacer accesibles sus principios a un público más amplio, en 1945 publicó su obra principal, *Return to life through controlology* («Vuelta a la vida a través de la controlología»). En ella describía, sobre todo, su programa de ejercicios de suelo, el cual hasta la actualidad es conocido como el «programa clásico de suelo».
Joseph Pilates entrenó y asesoró a sus alumnos hasta edad avanzada. Murió en 1967 en Nueva York a los 86 años de edad.

EL ENTRENAMIENTO HOY EN DÍA

A pesar de que con frecuencia, el estrés y el *burnout* (sentirse quemado) se incluyen en el mismo saco, de hecho no significan lo mismo. En sí mismo, el estrés no es una enfermedad, sino simplemente la reacción del organismo frente a una situación de sobrecarga. Esta reacción de estrés sirve para que, en cuestión de segundos, el organismo esté preparado para actuar.
El método de entrenamiento de Joseph Pilates se amolda más a la sociedad actual que a la de entonces. Muchas personas, cada día más, han comprendido que no se puede seguir cada vez «más alto, más rápido, más lejos» y que la extendida fórmula de «no hay triunfo sin dolor» debe ser meditada a fondo.

Joseph Pilates introdujo un cambio de consciencia y un nuevo abordaje del cuerpo. Su método no es un *body-building*, pero fortalece nuestros músculos. No es una gimnasia de estiramiento, pero aumenta la elasticidad de nuestros músculos. No se trata de un nuevo método de relajación pero proporciona un equilibrio mental para nuestro estresante día a día. Y tampoco es una gimnasia de fisioterapia o de rehabilitación, pero hace tiempo que forma parte de los repertorios estándar de muchos fisioterapeutas. Nosotros mismos la bautizamos como una especie de gimnasia de precisión que funde cuerpo, respiración y mente. Hace muchos años que el método ha sido acreditado. La suposición de que el método Pilates es otro de los muchos métodos de entrenamiento que acabará desapareciendo de escena es algo que con toda seguridad no se cumplirá. Por el contrario, todos los expertos en Pilates coinciden en afirmar que este método seguirá extendiéndose y que hará desaparecer los conceptos de entrenamiento que se basan en el sudor y la creación de estrés.

LA UTILIDAD DEL PILATES

El método Pilates es adecuado para todas las personas que quieren hacer algo por su estado de forma, su salud y, sobre todo, por su mantenimiento. No se necesita más que una colchoneta de deporte para comprobar que el Pilates puede proporcionar una sensación física totalmente nueva. El entrenamiento se caracteriza por movimientos suaves y, sin embargo, muy eficaces. Mediante la práctica concentrada, tiene un efecto claramente relajante sobre la mente. Algunos incluso aseguran que el método Pilates es una nueva forma de vivir.

Si pensamos en cómo perjudicamos a nuestro cuerpo con sobrecargas, el sedentarismo, horas sentados y una respiración superficial y que gracias al Pilates conseguimos una nueva consciencia, entonces estaremos completamente de acuerdo con esta afirmación.

Mediante un entrenamiento regular

> Se fortalecen básicamente los músculos estabilizadores más profundos y se tensan los más superficiales.
> Se gana en flexibilidad y elasticidad.
> Se fortalece la consciencia del cuerpo y la capacidad para relajarse.
> Se mejora de manera importante la respiración.
> Pueden eliminarse tensiones.
> Se aumenta la armonía postural y se economiza en movimientos.
> Se consigue un equilibrio eficaz frente a la sobrecarga monótona del día a día, el trabajo y el deporte.
> Se mejora la figura y
> Además, nos hace sentir mejor en nuestra propia piel.

ESTO SON LOS EJERCICIOS «RÁPIDOS» DE PILATES

El método de la contrología de Joseph Pilates tiene un gran papel dentro de los numerosos sistemas de entrenamiento y terapia. No obstante, aún cuando el término «rápido» pueda hacer pensar lo contrario, en ningún caso se trata de rapidez, sino de eficacia y economía. «Conseguir mucho con muy poco» es una definición más apropiada. Dado que la mayor parte de los ejercicios del método Pilates, en contraposición a la gimnasia clásica de espalda o para moldear la figura, no actúan sobre un único músculo sino que siempre implican varios músculos posturales y motores, un programa de ejercicios eficaz se acorta varias veces. Así por ejemplo, si con el *body-styling* deben realizarse cinco ejercicios para conseguir un determinado objetivo, con el método Pilates son suficientes uno o dos. Cuando los ejercicios se realizan diariamente, son suficientes de cinco a quince minutos. En este libro hemos clasificado los ejercicios en tres grados de dificultad. El nivel de principiante (▶) es adecuado para todo el mundo, siempre que se conozcan los principios y el lenguaje del método Pilates (a partir de la pág. 12) y se hayan realizado los ejercicios previos descritos en este apartado. Aquellas personas que dominan los ejercicios para principiantes pueden abordar los ejercicios para iniciados (▶▶). En el caso de los ejercicios para expertos (▶▶▶) deberían conocerse todos los ejercicios previos, entrenarse regularmente durante unos meses y no sufrir ninguna molestia física. De lo contrario, las personas expertas deberían volver a repetir las series para principiantes e iniciados y los iniciados la serie para principiantes, con el fin de afianzar todo lo aprendido y de perfeccionar su técnica. Solo así se puede desarrollar un centro corporal firme y fuerte, necesario para algunos ejercicios. Para empezar elija aquellos ejercicios que más se adecúen a sus deseos personales, teniendo en cuenta su determinado efecto. Empiece con un ejercicio diario y realícelo de manera consecuente. Las ganas de más surgen solas cuando su cuerpo nota lo bien que le va el Pilates. Para que el método funcione, Joseph Pilates basó su sistema de movimientos en determinados principios y conceptos básicos que debería conocer antes de empezar el entrenamiento. En las siguientes páginas se exponen ampliamente. Dedíqueles un poco de tiempo. ¡Verá que vale la pena!

El método Pilates se basa en los principios de la respiración, el centrado, la precisión, la concentración, la fluidez de movimiento y el control.

Los principios del método Pilates

RESPIRACIÓN

Aquel que inspira y espira profunda y plenamente, aporta a su cuerpo oxígeno fresco, enriquece todo el sistema con energía y revive. Una técnica respiratoria correcta durante el ejercicio contribuye a la activación de la musculatura profunda y a que los movimientos se realicen de una manera más precisa y sin esfuerzo. Para ello, se debe inspirar por la nariz y espirar por la boca.

CENTRADO

Todo movimiento procede de un fuerte centro corporal, el así llamado *powerhouse*. Está formado primariamente por los músculos oblicuos abdominales y la musculatura del suelo de la pelvis. Nosotros podemos controlar conscientemente este centro energético. Precisamente esta es una de las peculiares características que encontramos solo en el método Pilates.

FLUIDEZ DE MOVIMIENTO

Los movimientos dinámicamente fluidos, sin tirones y elásticos distinguen el Pilates frente a otros conceptos de ejercicio severo. El ritmo de la respiración y la fluidez del movimiento se complementan mutuamente. Todo ello también tiene un efecto positivo sobre todos sus movimientos cotidianos.

PRECISIÓN

La ejecución precisa de los ejercicios aumenta su eficacia y utilidad. Por este motivo, no debe descuidarse ni el más mínimo detalle de cada movimiento. Ya que precisamente la suma de cada detalle lleva al éxito. No olvide el lema más importante: la calidad por encima de la cantidad.

CONCENTRACIÓN

La mente es la responsable del control del cuerpo. Aquel que es capaz de concentrarse y olvidarse de lo que le rodea se mueve mejor, mantiene la atención sobre sí mismo y se relaja con mayor facilidad. Para ello puede ayudarse de los cuadros imaginarios que le facilitaremos para cada ejercicio.

CONTROL

Para el entrenamiento es necesario el control de mente y cuerpo. Cada movimiento debe realizarse mentalmente consciente y, de esta manera, de forma controlada. Nada se deja al azar. Así se evitan los movimientos involuntarios o innecesarios. Contrólese usted mismo y no permita que le controlen.

La base «práctica»

RESPIRACIÓN CORRECTA

Para conseguir respirar correctamente al realizar los ejercicios de Pilates, hemos introducido un nuevo concepto aplicable a nuestra vida cotidiana. La respiración típica del método Pilates es la respiración pulmonar. ¿Por qué entonces recomendamos a los principiantes la respiración abdominal?

Nuestra respiración cotidiana es superficial, corta y con frecuencia tiene lugar solo en la parte superior del tórax. Es decir, ni rastro de una respiración profunda. Mediante esta respiración, nuestro cuerpo no recibe el oxígeno suficiente. La consecuencia es falta de concentración, dolor de cabeza o contracturas cervicales. Para nosotros es importante volver a enseñarle a respirar hasta la región abdominal-pélvica. Si empezara

Los principiantes *deben practicar la respiración abdominal o bien diafragmática.*
Los iniciados *encuentran por sí mismos un intermedio entre la respiración abdominal y la pulmonar.*
Los expertos *utilizan exclusivamente la respiración pulmonar.*

directamente con la típica respiración pulmonar del método Pilates, la consecuencia podría ser la aparición de nuevas contracturas.

Respiración abdominal para principiantes

En la respiración abdominal entra en juego el diafragma, nuestro músculo respiratorio más importante. En muchas personas, este músculo está atrofiado y poco entrenado. Cuando respiramos con el abdomen, en primer lugar aprendemos de nuevo lo que significa respirar profundamente. En segundo lugar entrenamos nuestro diafragma y en último lugar aportamos a nuestro organismo mucho más oxígeno fresco –la base de la vida–.

El diafragma se aboveda como la cáscara al revés de una fruta por encima de nuestros órganos abdominales. Por arriba está en contacto con los lóbulos pulmonares. Al activar el diafragma con la inspiración, este se mueve hacia abajo, ejerce algo de presión sobre nuestros órganos abdominales y los empuja hacia abajo y hacia delante. Consecuentemente, el abdomen se mueve, motivo por el que se habla de respiración abdominal. Durante la espiración, el diafragma se relaja y la pared abdominal se aplana de nuevo.

Imagine: *al empezar a inspirar se hincha un globo interno. Al espirar exhala ante un espejo, el cual se empaña.*
Indicación: *si al principio siente vértigos es normal. Primero el organismo debe acostumbrarse al aumento del aporte de oxígeno. Pasados unos días dejará de tener vértigos. En el caso de que estos aparezcan respire con menor intensidad. ¡Durante la respiración abdominal, la caja torácica no se expande!*

Respiración pulmonar para expertos

En el caso de la respiración pulmonar, respiramos con ayuda de la caja torácica, para ser exactos con la ayuda de los músculos intercostales. Estos músculos se encuentran entre las costillas y distienden la caja torácica durante la inspiración, de manera que los pulmones pueden llenarse de oxígeno. De esta manera, durante los ejercicios también es posible mantener la musculatura abdominal contraída, es decir, mantener activo el *powerhouse* (en seguida llegaremos a este tema). El siguiente

Pruebe esta respiración con el ejercicio de la esta página.

> Realice el ejercicio sentado en una silla, en el suelo o estirado. Descanse la mano derecha plana sobre el ombligo y la izquierda sobre el centro del tórax. Inspire a través de la nariz e intente que su respiración llegue hasta la pelvis. El abdomen se abombará hacia delante.

> Al espirar por la boca con la mandíbula y los labios relajados, la pared abdominal se relaja y el abdomen se aplana. Practique aproximadamente durante 1 minuto.

La respiración abdominal formará parte de todos los ejercicios para principiantes. La respiración pulmonar que se expone a continuación tendrá interés para usted más adelante.

Con la respiración abdominal, la caja torácica y, sobre todo, los hombros, permanecen blandos y relajados.

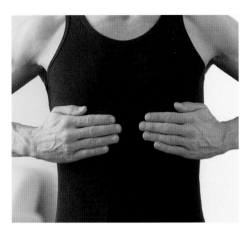

Al inspirar la caja torácica se expande hacia los lados.

Al espirar los arcos costales vuelven a acercarse.

ejercicio debe facilitar su comprensión de la respiración pulmonar.

> Realice el ejercicio sentado o estirado. Coloque las manos planas sobre la parte inferior del tórax, dejando que las puntas de los dedos corazón se toquen ligeramente. El dedo meñique está situado por debajo de la última costilla. Inspire por la nariz. La parte inferior de la caja torácica (arco costal) se ensancha hacia fuera y los dedos de ambas manos se separan. El abdomen permanece plano.

> Al espirar, el tórax se relaja y los dedos vuelven a acercarse.

Combinación individual
para iniciados

Los principiantes dominan la respiración abdominal y los expertos la respiración pulmonar. Los iniciados, que ya no son principiantes pero todavía no son verdaderos expertos, se aproximan con tiento a la respiración pulmonar. Comprobarán que con algunos ejercicios se sienten mejor con la respiración abdominal, mientras que con otros prefieren la respiración pulmonar. Combínelas hasta que domine la respiración en cada uno de los ejercicios

Imagine: *durante la inspiración, las manos se mueven hacia fuera como una puerta automática de dos hojas. Al expulsar el aire se relajan los arcos costales y la puerta automática se cierra de nuevo. La respiración fluye como en un embudo en la pelvis.*
Indicación: *al inspirar los hombros y la nuca permanecen relajados. No distienda la caja torácica hacia delante sino hacia los lados.*

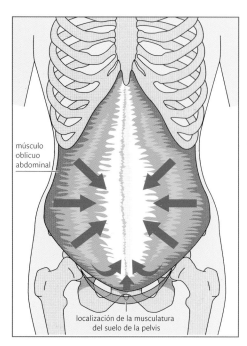

Centro corporal de fuerza —las flechas señalan la dirección de la fuerza del abdomen profundo— y musculatura pélvica.

para principiantes y para iniciados. Esta es la base más importante para todos los ejercicios del nivel avanzado.

EL CINTURÓN DE FUERZA

Cada ejercicio se realiza con un cinturón de fuerza estable. Gracias a esta estabilidad, podemos realizar ciertos movimientos con precisión y control. El cinturón de fuerza, formado por los músculos oblicuos del abdomen, funciona como una especie de corsé. Junto con la musculatura del suelo de la pelvis se forma la así llamada *powerhouse* (casa de poder). Ofrece un centro

corporal estable y ayuda a empezar los ejercicios siempre por el centro del cuerpo y dejarlos fluir hacia la periferia. El siguiente ejercicio le acercará a su *powerhouse*.

> Siéntese erguido (en una silla o en el suelo) y coloque su mano derecha sobre su abdomen, entre el ombligo y la pelvis. Inspire. Al espirar por la boca empuje fluidamente el ombligo hacia dentro, es decir, hacia atrás, en dirección a la columna vertebral. La parte inferior del abdomen se mete hacia dentro, movimiento que es claramente visible. Al mismo tiempo active la musculatura del suelo de la pelvis. Esta actividad no es perceptible a simple vista, sino que tiene lugar en el interior del cuerpo. Al contraer los músculos del suelo de la pelvis, la musculatura glútea permanece relajada. Lo hará correctamente cuando sienta que el suelo de la pelvis se eleva ligeramente y las tuberosidades isquiáticas se juntan. En conjunto se forma un «centro corporal estable» –la *powerhouse* está activada–.

Imagine: *el suelo de la pelvis es como un montacargas que asciende al contraerse. Suba siempre solo hasta el segundo piso de los cinco posibles.*

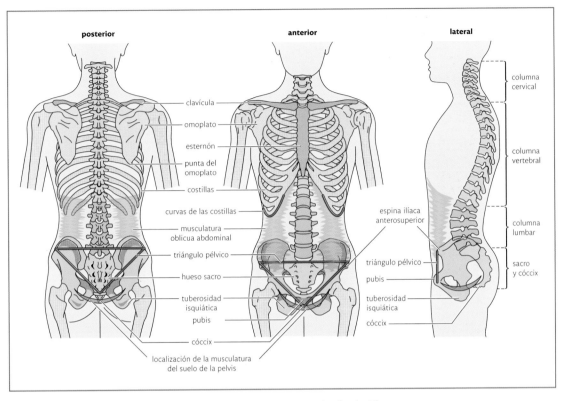

Visión de los puntos de referencia más importantes para el método Pilates.

Con la inspiración, los principiantes desactivan la *powerhouse* y la vuelven a activar con la espiración.

Los expertos, con dominio de la respiración pulmonar, mantienen el *powerhouse* permanentemente activo en todos los ejercicios Pilates. ¡Practique! Cuando domine los ejercicios anteriores, empiece a combinar algunas veces la respiración (abdominal o pulmonar) con la activación del *powerhouse*.

Es decir, durante la inspiración desactive el *powerhouse* y al espirar actívelo de nuevo. Los principiantes practicarán con la respiración abdominal y los iniciados y expertos con la respiración pulmonar.

EL LENGUAJE PILATES

Ahora, solo le faltan algunos conceptos importantes y palabras clave que aparecen con frecuencia en la exposición de los ejercicios, y ¡ya podrá empezar! Con la ayuda de estos términos, los maestros de Pilates son capaces de describir de manera precisa y concisa la exacta posición del cuerpo y los distintos movimientos.

Pelvis y columna vertebral neutras

La posición fisiológica correcta de pelvis y columna vertebral se conoce como posición neutra. En el caso de la columna vertebral la posición neutra es la doble curvatura en «S». En la pelvis existen tres puntos decisivos: el pubis y las dos espinas ilíacas anterosuperiores (son fácilmente palpables). Estos tres puntos forman un imaginario triángulo pélvico (véase pág. 17).

La pelvis está en posición neutra cuando
> en decúbito el triángulo pélvico está paralelo al suelo o,
> de pie, el triángulo pélvico es perpendicular en el espacio.

La posición de la pelvis influye siempre sobre la columna vertebral, ya que ambas están directamente unidas a través del hueso sacro.

En las fotografías de la derecha puede ver
> una posición de la columna vertebral y la pelvis en hiperextensión con la pelvis y el sacro basculados,
> una posición neutra de la pelvis y
> una posición flexionada, en la que la pelvis está elevada y la parte inferior de la espalda desciende en el suelo o presiona ligeramente hacia abajo.

Cuello estirado

En un cuello estirado el occipucio se aleja de la parte superior de la espalda.

Arriba: Columna vertebral en hiperextensión y pelvis basculada.
Centro: Pelvis y columna vertebral neutras.
Abajo: Columna vertebral flexionada y pelvis elevada.

Cuadrúpedo

En el clásico cuadrúpedo las manos se sitúan exactamente bajo los hombros con los dedos mirando hacia delante y las rodillas exactamente bajo las caderas con los pies extendidos. La columna vertebral y la pelvis se hallan en posición neutra, en la horizontal.

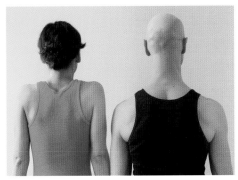

Omoplatos en los bolsillos del pantalón

Arriba: *Cuadrúpedo.*
Abajo: *Posición escalonada.*

Posición escalonada

En la posición escalonada en decúbito supino, las piernas están elevadas de tal manera que la articulación de la cadera y de la rodilla forman cada una de ellas un ángulo de 90°. La columna vertebral y la pelvis están en posición neutra y el cuello estirado.

Pie en punta o flexionado

En el pie en punta, este está estirado completamente hasta la punta de los dedos y en el pie flexionado el dorso de este se dirige hacia la tibia y el talón se aleja de ella.

Omoplatos en *los bolsillo del pantalón*

En esta posición, los omoplatos se tiran activamente hacia abajo. Como consecuencia, los «hombros se separan de las orejas». De esta manera se tiene la sensación de que se alarga el cuello.

«C» larga

En la «C» larga, toda la columna vertebral está curvada armónicamente, el cuello estirado y los hombros se alejan de las orejas.

«C» larga.

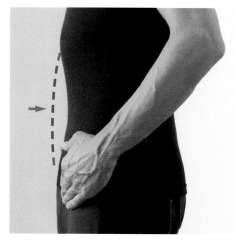

Ombligo metido hacia la columna vertebral visto lateralmente.

Ombligo hacia la columna vertebral

Cuando se trata de «meter el ombligo hacia la columna vertebral», siempre es en relación con el *powerhouse*. Los músculos oblicuos abdominales, los cuales se contraen de forma refleja al toser o estornudar, también pueden contraerse de manera voluntaria. De esta manera, la parte inferior del abdomen se mete hacia dentro y se activa el cinturón de fuerza.

Ancho de caderas y ancho de hombros

El término ancho de caderas se refiere a la distancia que existe entre ambas articulaciones de las caderas; el ancho de hombros es la distancia que existe entre ambas articulaciones de los hombros. Las posiciones de ancho de caderas y ancho de hombros pueden emularse con manos y pies.

Pies paralelos

Cuando se habla de poner los pies paralelos, habitualmente se refiere a la posición en paralelo del segundo dedo de ambos pies.

Ancho de las caderas con respecto a las articulaciones de las caderas.

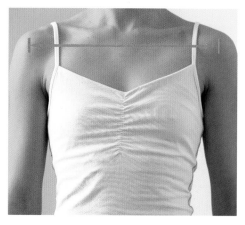

Ancho de los hombros con respecto a la distancia entre las articulaciones de los hombros.

INDICACIONES PARA LA PRÁCTICA

Ya conocemos los conceptos básicos más importantes del Pilates. Antes de empezar a practicar, nos gustaría hacerle algunas indicaciones y establecer algunas reglas más.

Una cosa después de la otra

Los principiantes deben empezar con los ejercicios para principiantes. Los iniciados y los expertos deben volver con regularidad a los ejercicios del nivel anterior, ya que el entrenamiento solo es completo cuando se combinan ejercicios sencillos con ejercicios más difíciles. Solo los ejercicios del nivel adecuado nos hacen disfrutar y evitan que se produzcan lesiones. ¡No se estrese con los seis principios! El método Pilates es versátil –no pretenda hacerlo todo perfecto desde el principio–. Ponga su atención en la calidad y no en la cantidad de los ejercicios que realiza.

Practicar con la cabeza y con el cuerpo

Antes de empezar léase los ejercicios con atención y realice los movimientos mentalmente. Al practicar concéntrese. No introduzca más de un ejercicio nuevo al día, hasta que haya interiorizado las bases. Realice los ejercicios en concordancia con su respiración.

Permanecer perfectamente relajado

Al realizar los ejercicios el cuerpo no puede estar en tensión bajo ningún concepto. Vigile principalmente la zona del cuello. Active solo los músculos realmente necesarios para el ejercicio. ¡Manténgase relajado también mentalmente! No se irrite si algo no le sale a la primera. Practique consecuentemente pero sin tensión esa parte hasta que funcione. Día a día disfrutará un poco más con la práctica del Pilates.

Sin dolor

Al realizar los ejercicios no puede aparecer dolor, sobre todo en la zona de la espalda. Los ejercicios no han sido concebidos para mujeres embarazadas o personas con algún transtorno. Si ese es el caso, antes de empezar hable con su médico. No practique inmediatamente después de comer.

Conseguir tiempo y espacio

Unos pocos ejercicios al día son suficientes. Con el tiempo cree su propio programa o haga uso de nuestros programas «rápidos» que encontrará a partir de la página 86 . Descubra su momento óptimo para practicar. Puede ser por la mañana, a mediodía o por la noche. Durante ese tiempo evite cualquier factor distorsionante para poder dedicarse ese tiempo a usted mismo por completo.

Los mejores ejercicios de Pilates

Gato básico

Este ejercicio constituye una de las
maneras más suaves y beneficiosas
de movilizar la columna vertebral y
eliminar las tensiones de la espalda.
Disfrute del movimiento e intente
realizarlo vértebra a vértebra. Este
principio está presente también en
muchos otros ejercicios de Pilates.

Imagine: *muévase elásticamente,
como un gato después de la siesta.*
Detalle: *el movimiento es suave y
fluido, nunca brusco o duro. Para
conseguir una curva en «C»
armónica, tire hacia abajo el cóccix.*
¡Tenga en cuenta!: *¡al estirar la
espalda no debe exagerar la lordosis!*

POSICIÓN INICIAL

> Póngase en la posición clásica de
cuadrúpedo. Los pies están estirados.
El peso del cuerpo está repartido
uniformemente entre los cuatro
puntos de apoyo. Los codos están
relajados y blandos, con su cara
interna enfrentada. La columna
vertebral mantiene su curvatura
natural y la pelvis está en posición
neutra.

INSPIRACIÓN

> Estire la columna vertebral hasta el cuello y mueva los dos omoplatos hacia *los bolsillos del pantalón*. Mire ligeramente hacia delante.

ESPIRACIÓN

> Meta el ombligo hacia la columna vertebral, de manera que el abdomen se curve hacia dentro. Seguidamente, empiece primero a curvar la espalda por el cóccix. Vértebra a vértebra siga con las vértebras lumbares, dorsales y finalmente las cervicales. Al final del ejercicio, toda la columna vertebral forma una «C» armónica. Dirija su mirada hacia las rodillas. Separe los hombros de las orejas y sienta la suave distensión de la zona lateral de la espalda.

INSPIRACIÓN/ESPIRACIÓN

> Al inspirar relaje la curvatura uniformemente y vuelva nuevamente a un ligero estiramiento de la espalda. Las tuberosidades isquiáticas tiran hacia atrás, la mirada se traslada hacia delante y los hombros están anchos y abiertos. Con la espiración empiece otra vez desde el principio.

Repetir este ejercicio 8 veces.

Brazos en arco iris

Brazos en arco iris combina dos aspectos importantes: por una parte se realiza la rotación de la columna vertebral, lo cual es manifiestamente agradable, y, por otra parte, se ensancha la caja torácica y se estira la musculatura torácica, lo cual mejora la postura de la parte superior de la espalda, así como la respiración. Este suave ejercicio también es muy adecuado para relajarse de manera activa después de ejercicios abdominales o de espalda intensos.

Imagine: *dibuje con la mano un gran arco iris que abarque todo el mundo.*
Detalle: *al abrir el arco, la cintura escapular está ancha y abierta y el codo del brazo en movimiento está relajado. Gire solo la distancia que le resulte cómoda, manteniendo las rodillas una encima de la otra. La pelvis permanece estabilizada en la posición inicial y no debe girar. Observe si con cada apertura, el arco puede tensarse un poco más. Realizar el ejercicio fluidamente con el propio ritmo de la respiración.*

POSICIÓN INICIAL

> En decúbito lateral coloque una toalla doblada o un cojín duro bajo su cabeza. Doble las piernas en ángulo recto. Tanto los pies como las rodillas descansan el uno encima del otro. Los brazos están estirados hacia delante, con las manos una encima de la otra y con los dedos estirados. Intente separar un poco del suelo las partes situadas por debajo. La zona de hombros y cuello está relajada y la cabeza como prolongación de la columna vertebral.

INSPIRACIÓN

> Al inspirar mueva el brazo situado encima primero hacia delante y después elévelo dibujando un amplio arco hasta la perpendicular.

ESPIRACIÓN

> Sin detener el movimiento o la respiración, siga abriendo el brazo hacia atrás con un movimiento fluido. La cintura escapular y el tórax realizan un movimiento de rotación y la mirada sigue la mano. Mantenga la distancia entre los hombros y las orejas y deje que el esternón se hunda ligeramente.

INSPIRACIÓN/ESPIRACIÓN

> Al inspirar, devuelva el brazo a la perpendicular y al espirar coloque las manos nuevamente delante, una sobre la otra.

Puede repetir este ejercicio hasta 12 veces. A la mitad cambiar de lado.

Dead bug
(cucaracha muerta)

Si con este ejercicio profundiza su comprensión de la posición neutra de pelvis y columna vertebral, construirá un sólido fundamento para otros muchos ejercicios.

POSICIÓN INICIAL

> Estirado sobre la espalda, las piernas están separadas el ancho de las caderas y los pies están paralelos. La pelvis y la columna vertebral se mantienen en posición neutra, con el cuello estirado. Descanse los brazos a ambos lados del tronco,

Imagine: *bajo las lumbares tiene una cereza que no puede chafar.* Detalle: *la premisa para este ejercicio es fijar toda la parte superior del cuerpo, mantener la pelvis en la posición neutra y realizar el ejercicio exclusivamente con la articulación de la cadera. La rodilla de la pierna en movimiento no debe variar su ángulo. Las fases de inspiración son fases estáticas, es decir, en estas fases no se produce ningún movimiento.*

estirándolos ligeramente en dirección a los talones y relaje los hombros.

Ahora, eleve la pierna derecha en posición escalonada.

INSPIRACIÓN

> Estire la columna vertebral hasta la parte superior de su cabeza. La zona de hombros y cuello está relajada. La pierna permanece elevada de forma estable.

ESPIRACIÓN

> Mediante su *powerhouse* estabilice el centro de su cuerpo como base firme para este ejercicio. Baje la pierna derecha con la articulación de la cadera y toque el suelo suavemente con el dedo gordo del pie. Durante este movimiento, la rodilla permanece como congelada, y este tiene lugar únicamente en la articulación de la cadera.

INSPIRACIÓN/ESPIRACIÓN

> Durante la inspiración mantenga la posición. Con la siguiente espiración eleve la pierna hasta la posición inicial.

Repita el ejercicio de 8 a 10 veces y, después de una breve pausa, cambie de lado.

Bucle clásico

Este ejercicio es un sencillo ejercicio básico, el cual ejercita básicamente la musculatura abdominal profunda y los rectos. Consigue una buena base de fuerza para los demás ejercicios abdominales y nos ofrece una primera comprensión de lo que significa hacer rodar la columna vertebral de manera consciente y segmentaria, es decir, cada una de sus partes.

POSICIÓN INICIAL

> Échese boca arriba. Las piernas están separadas el ancho de las caderas y los pies descansan planos sobre el suelo. Coloque las manos en la parte posterior de la cabeza y abra los codos hacia fuera. La barbilla está separada del esternón la distancia de un puño. Dirija la mirada hacia las rodillas. La columna lumbar y la pelvis están en posición neutra.

INSPIRACIÓN

> Estire la columna vertebral hasta la parte posterior de la cabeza. La zona de hombros y cuello está relajada.

ESPIRACIÓN

> Utilice su musculatura abdominal para separar del suelo primero los omoplatos y después el tronco, vértebra a vértebra. Durante este movimiento el vientre permanece

Imagine: *en la parte inferior del vientre se localiza su centro de energía, el cual tiene que «conectarse» antes de poder alzar el tronco.*
Detalle: *la barbilla «oscila» por encima del esternón, no la presione contra el tórax. Haga rodar el tronco, teniendo presente el equilibrio derecha-izquierda, hacia arriba y hacia abajo de manera sistemática. La musculatura de los glúteos y los muslos permanece relajada. Los codos se mantienen abiertos, mientras que la cabeza reposa, a ser posible de manera relajada, sobre las manos.*

plano, las costillas inferiores y la pelvis se acercan y la columna lumbar se hunde perceptiblemente contra el suelo. El movimiento debe realizarse de manera controlada y sin demasiado esfuerzo. El cuello permanece largo, los hombros separados y sin tensión.

INSPIRACIÓN/ESPIRACIÓN

> Con la espiración deje rodar la columna vertebral en sentido contrario, hasta que la punta de los omoplatos roce el suelo. ¡No se estire completamente! La parte inferior de la espalda mantiene el contacto con el suelo. Con la espiración eleve nuevamente el tronco.

Realice el ejercicio de 8 a 10 veces.

Puente básico

El *puente básico* o *puente de hombros* ejercita la elasticidad y movilidad de la espalda, además de fortalecer la musculatura glútea y posterior del muslo. Cada una de las vértebras se mueve concentradamente con la siguiente y con ello mejora considerablemente la percepción de la columna vertebral.

POSICIÓN INICIAL

> Estirado sobre la espalda, las piernas dobladas. Los pies y las rodillas están separados el ancho de las caderas. Los brazos descansan relajados a ambos lados del tronco. Deslice las manos en dirección a los talones. Alargue el cuello y relaje los hombros. La

Imagine: *la columna vertebral es como un valioso collar de perlas. Levántelo con cuidado del suelo, perla a perla.*
Detalle: *las rodillas permanecen estables y los coxales se mueven al unísono, de manera que siempre se encuentren a la misma altura. Durante el movimiento, el pubis debe estar siempre más alto que el ombligo. Deje descansar los brazos relajadamente a ambos lados del cuerpo.*

columna vertebral y la pelvis están en posición neutra.

INSPIRACIÓN

> Mentalmente, estire las dos protuberancias isquiáticas hacia los talones.

ESPIRACIÓN

> Active su *powerhouse*, de manera que el vientre se aplane, el ombligo se meta hacia la columna vertebral y la parte inferior de la espalda presione suavemente contra el suelo. Seguidamente, se eleva el cóccix, seguido del sacro, y finalmente cada una de las vértebras de la columna lumbar y la zona dorsal, hasta que el peso corporal recae sobre los omoplatos. Se tiene la sensación de que la espalda realmente se despega del suelo. ¡No caer en la lordosis!

INSPIRACIÓN/ESPIRACIÓN

> Al inspirar, deténgase en la posición más elevada de la pelvis. Al espirar sienta cómo el cóccix tira hacia las rodillas. Active nuevamente el *powerhouse*, hunda ligeramente el esternón y ruede en sentido contrario, desde la columna dorsal hasta el cóccix.

Repita el ejercicio de 6 a 8 veces hacia arriba y hacia abajo.

Círculos de rodillas

Con los *círculos de rodillas* mejora su elasticidad y la sensibilidad a nivel de la articulación de las caderas. Al mismo tiempo, se estimula el *powerhouse* para mantener la estabilidad en la zona de la pelvis y la parte inferior de la espalda. De esta forma, se le plantea el nuevo desafío de estabilizar la pelvis en contra de la acción «lateral» de la gravedad. Para empezar, realice círculos pequeños precisos, del tamaño de una pelota de tenis y aprenda a estabilizar el tronco en contra del movimiento. Cuanto más practique, tanto más grandes podrá hacer los círculos.

POSICIÓN INICIAL

> Colóquese estirado boca arriba con la pelvis y la columna vertebral en posición neutra. Los brazos descansan relajados a ambos lados del cuerpo. Si los brazos se abren formando una «V» es más fácil mantener la estabilidad del tronco. Por el contrario, si los brazos están más pegados al cuerpo, el desafío es mucho mayor. La pierna izquierda está flexionada y la derecha elevada en la posición escalonada, con el pie en punta.

INSPIRACIÓN

> Mueva ligeramente el muslo en dirección al tronco. La pelvis permanece en posición neutra.

Imagine: *como movido por un titiritero, el muslo se mueve suavemente y casi como por sí solo a nivel de la articulación de la cadera.*
Detalle: *el ángulo de la articulación de la rodilla de la pierna en movimiento no debe variar. El reto de este ejercicio consiste en mantener la posición neutra de la cadera, sin importar lo grandes que sean los círculos. Los hombros y los omoplatos tienen contacto con el suelo sin tensión. La fuerza estabilizadora procede del centro corporal.*

ESPIRACIÓN

> Meta el ombligo hacia dentro y active la musculatura del suelo de la pelvis. En un movimiento circular, el muslo se mueve hacia la derecha y hacia fuera y después se aleja del tronco.

INSPIRACIÓN/ESPIRACIÓN

> Al inspirar, siga el círculo hasta la posición inicial. De esta manera, la rodilla está otra vez a la altura de la articulación de la cadera del mismo lado.

Empiece de nuevo y realice de 8 a 10 círculos con la pierna. Después, cambie de pierna. Por último, realice el movimiento circular en el sentido contrario con cada una de las piernas.

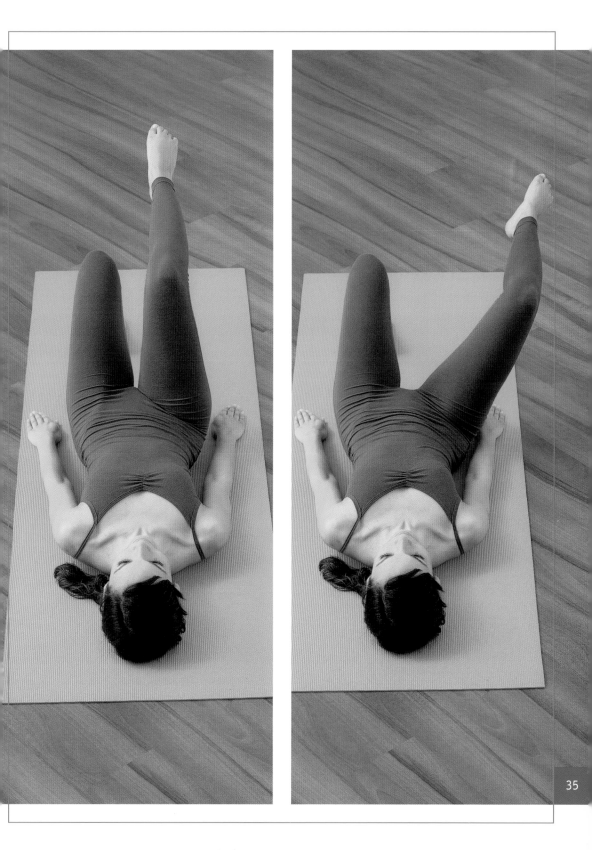

Moldear el trasero

¿Quién no desea un trasero firme? ¡Con este ejercicio va por buen camino! Con él se fortalecen los glúteos mayores, los cuales son básicamente los responsables de la forma redondeada del trasero. Asimismo, también se ejercita una parte de los músculos posteriores del muslo. Según la movilidad de la articulación de la cadera, este ejercicio se nota también en los músculos de la parte inferior de la espalda.

POSICIÓN INICIAL

> Estírese boca abajo con las piernas ligeramente separadas y los pies extendidos. Ponga los brazos hacia delante y apoye la frente sobre las manos. El cuello estirado y los hombros bien separados de las orejas. Sienta los coxales y el pubis fijados en el suelo, es decir, el triángulo pélvico está paralelo.

INSPIRACIÓN

> Tome consciencia de la estabilidad de la columna vertebral y la pelvis. Mueva los omoplatos hacia abajo.

ESPIRACIÓN

> Meta el ombligo hacia dentro, de manera que el vientre se hunda. Al mismo tiempo, estabilice la pelvis y la parte inferior de la espalda. Estire la

Imagine: *durante todo el ejercicio alguien tira suave pero perceptiblemente de su pierna.*
Detalle: *eleve la pierna correspondiente sin esfuerzo; tiene que ser un movimiento realizado por la musculatura. Cuando, después de elevada, vuelva a apoyar la pierna en el suelo, siga manteniendo a pesar de todo el alargamiento. Estabilice el tronco, manteniendo de forma continuada la sensación de una columna vertebral larga y los omoplatos pegados a la parte posterior de la caja torácica.*
Variación: *las personas más expertas pueden levantar ambas piernas a la vez, realizando un lento movimiento de pataleo como en el estilo crol de natación. Para ello debe mantenerse la activación del* powerhouse *y realizar una respiración pulmonar.*

pierna izquierda como alejándola del centro corporal, hasta la punta de los dedos y, finalmente, elévela de manera controlada.

INSPIRACIÓN/ESPIRACIÓN

> Al inspirar mantener el largo de la pierna y bajarla, pero no del todo, y al espirar elevarla de nuevo.

Repetir de 6 a 8 veces y después ejercitar con el otro lado.

Presión hacia arriba

Este ejercicio es especialmente beneficioso para la parte superior de la espalda. La estiramos, movilizamos la columna dorsal, fortalecemos los músculos de esta zona y ensanchamos la caja torácica. Con ello luchamos contra el encorvamiento de la espalda y mejoramos la respiración en el día a día. Además, aumentamos la capacidad de sostén de los estabilizadores de los hombros y fortalecemos la musculatura de la parte posterior del brazo (tríceps). Cuanto más precisa sea la realización del ejercicio, tanto más precisos serán el resto de ejercicios de estiramiento de la espalda incluidos en este libro.

POSICIÓN INICIAL

> Estirado boca abajo, con el tronco y la pelvis en posición neutra. Apoye las manos planas a la altura de los hombros, junto al tórax, con los codos mirando hacia el techo. La cabeza está ligeramente levantada, con la cara paralela al suelo y el cuello estirado. Las piernas están separadas el ancho de las caderas y estiradas hasta la punta de los dedos de los pies.

INSPIRACIÓN

> Eche los codos hacia atrás, en dirección a los talones, de manera que los omoplatos se muevan hacia abajo y la columna vertebral se alargue hasta el cuello.

Imagine: *su vientre descansa sobre arena caliente. Con tal de no quemarse debe contraer la pared abdominal.*
Detalle: *mantenga todo el rato la sensación de una columna vertebral larga. Los pies están siempre en contacto con el suelo y la musculatura glútea relajada.*

ESPIRACIÓN

> Empiece con el *powerhouse* activo, de manera que el vientre se meta hacia dentro. Presione suavemente la palma de las manos contra el suelo y active los músculos de la espalda. Con la fuerza creada levante el esternón lo suficiente como para que el arco costal inferior mantenga todavía el contacto con el suelo. Toda la columna vertebral mantiene una posición armónicamente arqueada, larga y erguida.

INSPIRACIÓN/ESPIRACIÓN

> Al inspirar deje caer el abdomen relajado sobre el suelo y mueva el esternón de nuevo hacia abajo. Durante la espiración, empiece nuevamente desde el principio. Tenga en cuenta que primero debe activar el *powerhouse*, antes de levantar el tronco del suelo.

Repetir de 8 a 10 veces.

Medio rodamiento hacia abajo

El *medio rodamiento hacia abajo* estimula la movilidad de la columna vertebral y, básicamente, fortalece los músculos profundos y rectos de la musculatura abdominal.

POSICIÓN INICIAL

> Siéntese con la espalda recta y el cuello relajado sobre el suelo. Las piernas están separadas el ancho de las caderas, con los pies planos. Estire los brazos hacia delante con los codos relajados a la altura del esternón y con la palma de las manos hacia dentro. En esta posición sienta las tuberosidades

Imagine: *al rodar, meta hacia dentro la pared abdominal como si se tratase de la cáscara de una fruta.*
Detalle: *justo en la fase estática, con el tronco rodado hacia atrás, debe mantener la sensación de un cuello relajado y largo. Sienta cómo se apoya por detrás de las tuberosidades isquiáticas. Los codos y brazos deben permanecer relajados. Al rodar hacia arriba vigile que el tronco esté paralelo, es decir, que no se mueva ladeado o torcido. Cuanta mayor sea la precisión con que realice este ejercicio, tanto mejor preparará su cuerpo para otros ejercicios más difíciles.*

isquiáticas ejerciendo la misma presión bilateral sobre el suelo.

INSPIRACIÓN

> Estire suavemente su columna vertebral hasta las cervicales, apartando a la vez los hombros de las orejas y bajando los omoplatos a *los bolsillos del pantalón*. Al mismo tiempo, eleve ligeramente el esternón, sin provocar una hiperextensión de la columna vertebral o presionar el arco costal inferior hacia delante.

ESPIRACIÓN

> Active su *powerhouse*, metiendo el ombligo hacia dentro. Ruede primero la pelvis hacia atrás sobre las tuberosidades isquiáticas, seguidamente curve la columna lumbar y finalmente la dorsal. La columna vertebral forma una «C» larga y armónica. Los hombros están relajados. La región cervical está también completamente relajada.

INSPIRACIÓN/ESPIRACIÓN

> Al inspirar mantenga esta posición sin tensión. Con la próxima espiración muévase en sentido contrario hasta la posición inicial. Durante el movimiento la espalda mantiene su arqueamiento. Solo al inspirar de nuevo, la columna vertebral se alarga nuevamente y estira. Empiece de nuevo desde el principio.

Repita el ejercicio de 8 a 10 veces.

Estiramiento diagonal

Con toda seguridad, conoce el *estiramiento diagonal* de la gimnasia de columna clásica. Sin embargo, nosotros realizamos el ejercicio teniendo en cuenta los principios de Joseph Pilates. En este ejercicio es especialmente importante mantener el centro corporal estable, ya que de otra manera se pierde la base y el equilibrio. Los músculos estabilizadores de la columna vertebral ganan calidad y los músculos de hombros y glúteos se fortalecen.

POSICIÓN INICIAL

> Adopte la clásica posición de cuadrúpedo. La pelvis y la columna vertebral se hallan en posición neutra. La cara interna de los codos está ligeramente girada. La flexión de los brazos es prácticamente imperceptible.

INSPIRACIÓN

> Al inspirar estire la columna vertebral en ambas direcciones y separe los hombros de las orejas.

ESPIRACIÓN

> Con el *powerhouse* activado y el cinturón de fuerza estabilizado, estire la pierna derecha hacia atrás y, al mismo tiempo, el brazo izquierdo hacia delante, en un movimiento controlado. Mantenga la posición neutra de pelvis y columna vertebral y la relación entre

Imagine: *sobre el occipucio y sobre la pelvis sostiene sendas copas llenas de cava. No quiere derramar ni una gota.*
Detalle: *a pesar de que se levantan brazo y pierna, el tronco permanece inalterable y en su posición estable. Mantenga la conexión entre las últimas costillas y la pelvis. Cuando vaya a estirar el brazo y la pierna, asegúrese de que tira activamente del ombligo hacia la columna vertebral. En la fase de estiramiento trabaje conscientemente con el pubis en dirección al ombligo, para mantener la pelvis en posición neutra.*
Variación: *para tomar consciencia de la estabilidad del tronco es más sencillo si al principio estira solo un brazo o una pierna.*

costillas y pelvis. El brazo alzado, el tronco y la pierna estirada forman una línea recta.

INSPIRACIÓN/ESPIRACIÓN

> Al inspirar mueva la rodilla derecha en dirección al abdomen y el codo izquierdo en dirección al tórax. ¡No arquee la columna vertebral! Durante la espiración estire de nuevo el brazo y la pierna.

Repita de 8 a 10 veces y después cambie de lado.

Giro de columna

Este ejercicio es tan sencillo como eficaz. El movimiento combinado, es decir, el estiramiento de la columna vertebral y la rotación del tronco, fortalece los principales músculos profundos de la espalda situados a lo largo de la columna vertebral y la musculatura oblicua abdominal.

POSICIÓN INICIAL

> Siéntese erguido, con las piernas
  separadas el ancho de los hombros,

Imagine: el giro del tronco puede compararse al movimiento que se realiza para escurrir una toalla mojada. Coloque ambos brazos sobre una imaginaria y mullida nube.

Detalle: con cada inspiración estire la parte superior de la cabeza hacia el techo, sin contraer para ello la musculatura de la zona de hombros y cuello. Mantenga brazos y hombros en una línea. Durante la rotación, las piernas y la pelvis permanecen estables.

Variación: si tiene suficiente flexibilidad en los tendones de la rodilla y puede mantener sin problemas la posición neutra de la pelvis, estire completamente las piernas hacia delante. En este caso ponga cuidado en que la columna lumbar no se desvíe hacia atrás.

ligeramente elevadas, con las rodillas un poco flexionadas y los pies también flexionados. Fije las tuberosidades isquiáticas en el suelo y mantenga la pelvis y la columna vertebral en posición neutra. Abra hacia los lados los brazos a la altura de los hombros, con codos y dedos relajados.

INSPIRACIÓN

> Estire la columna vertebral hasta el
  cuello y deje caer los omoplatos.

ESPIRACIÓN

> Active su *powerhouse* y junte ambas tuberosidades isquiáticas, baje activamente ambos omoplatos y deje que los hombros se separen. Gire el tronco hacia la derecha, empezando por la parte inferior de la zona lumbar. El tronco y la cabeza deben seguir fluidamente el movimiento. Mantenga la pelvis estable en la posición neutra. Sienta la actividad de su centro corporal.

INSPIRACIÓN/ESPIRACIÓN

> Al inspirar, vuelva a la posición inicial siguiendo el orden contrario. Con la nueva espiración gire hacia el lado izquierdo.

Repita el ejercicio unas 6 veces.

El *cien*

El *cien* es uno de los primeros ejercicios
que Joseph Pilates desarrolló para su
programa de entrenamiento. Mejora la
resistencia de su musculatura abdominal
y aporta una comprensión profunda
sobre la actividad del *powerhouse*.
Al mismo tiempo, lo esencial es el
mantenimiento de la estabilidad
de la parte superior del cuerpo.
Con este ejercicio, el cuerpo recibe
una gran cantidad de oxígeno fresco,
lo cual al principio puede ser algo
inusual. No obstante, el organismo le
recompensará con una gran cantidad
de nuevas energías.

Imagine: *al alzar los brazos brota
agua y al bombear hacia abajo
chapotea sobre la superficie del
agua.*
Detalle: *¡mantenga la parte inferior
de la espalda en el suelo durante
todo el ejercicio! El movimiento de
descenso de los brazos es una
especie de movimiento de bombeo
doble. Mantenga la zona de los
hombros y el cuello relajada.*
Variación: *desde la posición
escalonada, las piernas se estiran
hacia arriba.*

POSICIÓN INICIAL
> Estirado sobre la espalda, con las

piernas en posición escalonada y
separadas el ancho de las caderas, la
columna lumbar realiza una leve presión
contra el suelo. La cabeza y los hombros
están levantados, con la mirada dirigida
hacia las rodillas. Hombros y cuello
permanecen relajados, con el cuello
estirado. Los brazos están elevados al
lado del tronco y paralelos al suelo.

INSPIRACIÓN

> Gire la palma de las manos hacia arriba
  y levante los brazos casi hasta las
  rodillas, como si quisiera hacer brotar
  agua. Los dedos están estirados y el
  vientre se abomba ligeramente hacia
  delante.

ESPIRACIÓN

> Gire la palma de las manos hacia abajo
  y mueva los brazos rítmicamente, como
  un *staccato* doble, en dos pasos hacia
  abajo. Asimismo, meta el ombligo
  hacia la columna vertebral en dos
  pasos. Omoplatos hacia abajo.

INSPIRACIÓN/ESPIRACIÓN

> Al inspirar, gire las manos como si
  quisiera hacer brotar agua. Al espirar,
  bombee rítmicamente hacia abajo
  2 veces con los brazos.

Repita el ejercicio durante
6 u 8 respiraciones.

Natación

La *natación* es, asimismo, un ejercicio del programa Pilates clásico. Fortalece toda la musculatura de la espalda, los hombros, los glúteos y la cara posterior de la pierna. Adecuado para personas que por su trabajo están mucho tiempo sentados.

POSICIÓN INICIAL

> Echado boca abajo, estire los brazos hacia delante separados un poco más que el ancho de los hombros, con las palmas de las manos enfrentadas. Estire las piernas hacia atrás; posición neutra de pelvis y columna vertebral. La mirada dirigida al suelo.

Imagine: *yace sobre una colchoneta inflable y se deja deslizar en un tranquilo lago.*
Detalle: *mantenga su* powerhouse *activo durante todo el ejercicio, con el ombligo metido y respiración pulmonar. Gracias al mantenimiento de la fuerza interna, la parte superior del cuerpo se mantiene estable y no oscila arriba y abajo. Las rodillas están firmes y se sienten como si estuvieran enyesadas. Los brazos están estirados, pero con los codos relajados. Tire activamente de los omoplatos hacia los bolsillos del pantalón, con lo que debería tener la sensación de que posee un cuello largo.*

INSPIRACIÓN
> Levante brazos y piernas, con los omoplatos en *los bolsillos del pantalón* y el cuello estirado. Tire la parte superior de la cabeza hacia delante.

ESPIRACIÓN
> Active el *powerhouse*. Eleve el brazo derecho por la articulación del hombro y la pierna izquierda por la cadera.

INSPIRACIÓN/ESPIRACIÓN
> Al inspirar eleve las extremidades del otro lado. Con la respiración siga fluida y rítmicamente el movimiento. Con cada movimiento se estiran las piernas y la columna vertebral. La parte inferior de la pared abdominal permanece alzada del suelo y hundida. Al seguir respirando debe encontrar una fluidez armónica y sincronizada de movimiento, con la que pueda mantener el ritmo elegido.

Es preferible que al principio realice movimientos más pequeños y lentos. Con un poco de práctica podrá aumentar individualmente la velocidad del movimiento, mientras que la respiración mantiene la misma velocidad.

Realice el ejercicio durante 10 respiraciones.

Rodillas arriba y abajo

Desde un punto de vista óptico este ejercicio no es muy espectacular. Sin embargo, estimula enormemente el *powerhouse* y requiere una buena comprensión del concepto de estabilización de pelvis y tronco. Se ejercita la musculatura abdominal profunda, así como la musculatura de la parte anterior de la pelvis. Otra dificultad es que músculos de distinta activación están muy juntos.

POSICIÓN INICIAL

> Echado boca arriba, con las piernas en posición escalonada y separadas el ancho de las caderas. La parte inferior de la espalda está en contacto con el suelo. Manos en la parte posterior de la cabeza y codos abiertos. Levante cabeza y hombros de tal manera que la punta inferior de los omoplatos mantenga el contacto con el suelo. La cintura escapular está abierta y los omoplatos tiran hacia *los bolsillos del pantalón*.

INSPIRACIÓN

> Mantenga la posición inicial y estire la columna vertebral hasta el cuello.

ESPIRACIÓN

> Meta el ombligo activamente hacia dentro. Baje las piernas formando un pequeño arco hacia abajo. El ángulo de

Imagine: *la parte inferior de la espalda como un ancla fija al suelo, como si fuera el fondo del mar.*
Detalle: *baje las piernas solo hasta donde la pelvis pueda mantener activo el* powerhouse *y la columna lumbar permanezca en contacto con el suelo. Las rodillas se mantienen en ángulo recto y solo trabajan las articulaciones de las caderas.*
¡Tenga en cuenta!: *si la columna lumbar pierde el contacto con el suelo, el ejercicio sobrecargará su espalda. Tenga cuidado en meter el ombligo firmemente hacia dentro.*
Variación: *¿Tiene una musculatura abdominal profunda fuerte y los tendones de sus rodillas son suficientemente elásticos? En ese caso, realice todo el ejercicio con las piernas estiradas.*

las rodillas debe permanecer como congelado, ya que el movimiento se realiza exclusivamente con la articulación de la cadera. Los pies se acercan al suelo, pero sin apoyarlos. La parte inferior de la espalda tiene un contacto firme con el suelo.

INSPIRACIÓN/ESPIRACIÓN

> Al inspirar mantenga la posición con las piernas bajas. Al espirar vuelva a la posición inicial.

Repita el ejercicio de 8 a 10 veces.

Estiramiento de una pierna

El *estiramiento de una pierna* es un ejercicio completo para iniciados. Hace trabajar la musculatura abdominal profunda de manera intensa y mejora la coordinación y el control del cuerpo. La musculatura de la cadera sufre un estiramiento suave. La dificultad reside en mover las piernas rítmicamente con la respiración, al tiempo que el tronco y la pelvis se mantienen estables. El cambio de las manos de una rodilla a otra es un requerimiento más de coordinación.

Imagine: *la parte inferior de la espalda está firmemente fijada al suelo mediante un ancla.*
Detalle: *al estirar la pierna, la parte inferior de la espalda se ancla en el suelo. Cuanto más baja esté la pierna estirada hacia el suelo, tanto mayor será la fuerza estabilizadora necesaria en el centro corporal, para no caer en una lordosis. Las piernas se mueven rítmicamente, mientras pelvis y tronco se mantienen fijados. Mandíbula, cuello y nuca permanecen relajados.*

POSICIÓN INICIAL
> Empiece echado sobre la espalda.

Levante la cabeza, los hombros y los omoplatos del suelo y lleve ambas

piernas a la posición escalonada. La columna lumbar mantiene un contacto suave con el suelo. Las manos están situadas en la cara externa de las rodillas –hombros y cuello están relajados–.

INSPIRACIÓN
> Separe los hombros de las orejas y mantenga los omoplatos hundidos. Coloque suavemente ambas manos a los lados de la rodilla izquierda sin tirar de ella.

ESPIRACIÓN
> Durante la espiración meta el ombligo hacia dentro y estire la pierna derecha.

La longitud de la pierna empieza mentalmente en el centro corporal. Deje oscilar la pierna por encima del suelo, mientras la pierna izquierda permanece en la posición inicial.

INSPIRACIÓN/ESPIRACIÓN
> Al inspirar vuelva a la posición inicial. Durante la inspiración estire la pierna izquierda.

Estire cada pierna 5 veces de manera alternativa.

Patada lateral

Este ejercicio le obliga por primera vez a estabilizar el tronco en decúbito lateral con la musculatura profunda, mientras que una de las piernas dibuja un amplio arco con un movimiento controlado hacia delante y hacia atrás. El ejercicio que aquí se presenta estira y fortalece la musculatura de la cadera. Si lo realiza correctamente notará en seguida que los músculos glúteos mayor y menor también participan y sentirá la importancia del *powerhouse* para mantener la correcta posición del cuerpo y la posición neutra de pelvis y columna vertebral. ¡Realice el ejercicio lentamente y con concentración!

Imagine: *la pierna en movimiento se desliza sobre el tablero horizontal de una mesa hacia delante y hacia atrás. La altura de la mesa no varía.*
Detalle: *para facilitar la correcta posición de la columna vertebral puede colocar una toalla enrollada bajo la cintura. Mientras la pierna se mueve, la pelvis y el tronco se mantienen inmóviles y estables. ¡Trabaje claramente con el* powerhouse! *No caiga en la lordosis al mover la pierna hacia atrás. Ambos hombros permanecen perpendiculares.*
Variación: *en lugar de flexionada, estire la pierna situada debajo en prolongación del tronco. Esto implica una mayor dificultad para mantener la estabilidad.*

POSICIÓN INICIAL

> Mantener la posición inicial durante algunas respiraciones sería por sí solo un ejercicio. Lo notará.

> Estírese sobre el costado izquierdo. Estire el brazo izquierdo y apoye en él la

cabeza (con una manta entre los dos puede resultar más cómodo). La palma de la mano mira hacia arriba. Para mejorar la estabilidad, la pierna izquierda está en posición escalonada. El brazo derecho se apoya delante del tronco. La pierna derecha está elevada a la altura de la cadera y estirada activamente como prolongación del cuerpo. La pelvis y la columna vertebral están en posición neutra. La parte izquierda de la cintura está separada del suelo y el triángulo pélvico perpendicular. Baje ambos omoplatos hacia *los bolsillos del pantalón*. Mantenga esta posición.

INSPIRACIÓN

> Flexione el pie derecho y mueva esa pierna hacia delante. No mueva pelvis ni columna vertebral, manteniendo ambas en posición neutra. Observe de manera consciente su posibilidad individual de movimiento.

ESPIRACIÓN

> Meta el ombligo hacia dentro. Estire el pie en punta y mueva la pierna hasta la posición inicial y otros cinco centímetros hacia atrás. Notará un ligero estiramiento a nivel de la cadera.

INSPIRACIÓN/ESPIRACIÓN

> Al inspirar lleve la pierna hacia delante y al espirar hacia atrás.

Repita el ejercicio de 8 a 10 veces y cambie de lado.

Elevación de rodillas

La *elevación de rodillas* es un divertido
ejercicio para fortalecer y estabilizar
toda la musculatura del tronco.
Con él sentimos lo que significa
mantener la columna vertebral y la
pelvis en posición neutra durante un
movimiento. Se trata de un gran reto,
ya que en este ejercicio la columna
lumbar, es decir, la parte inferior de la
espalda, tiene tendencia a perder su
posición. La musculatura de brazos y
cintura escapular experimenta un
intenso fortalecimiento y la articulación
de la muñeca un agradable estiramiento
para mejorar su movilidad.

Imagine: *balancee mentalmente
una bandeja con vasos sobre el
sacro y la zona occipital. ¡Que no
caiga ninguno!*
Detalle: *los codos están flexionados
alrededor de 1 cm, es decir, no
completamente estirados o en
hiperextensión. Sienta
conscientemente las diferentes
cualidades de la tensión corporal al
elevar y descender las rodillas.*
Variación: *los expertos eligen la
posición con las rodillas elevadas y
se mantienen en ella. Estire una
pierna al espirar y dóblela al
inspirar.*

POSICIÓN INICIAL

> Sitúese en la clásica posición de cuadrúpedo. Estabilice pelvis y columna vertebral en la posición neutra.

INSPIRACIÓN

> Separe los hombros de las orejas y deje deslizar los omoplatos hacia *los bolsillos del pantalón*. Estire mentalmente la columna vertebral hasta la zona occipital y en su extremo hasta el cóccix.

ESPIRACIÓN

> Meta el ombligo hacia la columna vertebral y active suavemente la musculatura del suelo de la pelvis. Mientras tronco y pelvis se mantienen en posición neutra, presione la palma de las manos contra el suelo y eleve las rodillas simultáneamente unos centímetros del suelo sin que el tronco se vaya hacia delante.

INSPIRACIÓN/ESPIRACIÓN

> Durante la inspiración mantenga esta posición «suspendida». Durante la espiración baje las rodillas a cámara lenta hasta el suelo. Una vez abajo vuelva a inspirar. Con la espiración eleve nuevamente las rodillas.

Repita el ejercicio 10 veces.

Zambullida de cisne

El llamado *cisne* son una especie de flexiones pero más sencillas. Con este ejercicio fortalecemos de manera intensa los músculos extensores del brazo, la musculatura de los hombros y la de la espalda y mejoramos la fuerza en nuestro centro corporal. Se estira la columna vertebral en la zona dorsal, lo que provoca la distensión y estiramiento de la parte anterior de la caja torácica; la zona lumbar se estabiliza con la fuerza del *powerhouse*. Un buen ejercicio para todo aquel que permanece muchas horas sentado.

POSICIÓN INICIAL

> Estírese boca abajo, con el tronco y la pelvis en posición neutra. Apoye las manos planas a la altura de los hombros, junto a la caja torácica, con los codos mirando hacia el techo. La cabeza y el esternón están ligeramente elevados, con la cara paralela al suelo y el cuello estirado. Las piernas están separadas el ancho de las caderas y estiradas hasta la punta de los dedos de los pies.

INSPIRACIÓN

> Estírese bien y aleje los hombros de las orejas. Los omoplatos se acercan ligeramente y se deslizan hacia abajo. Al finalizar la inspiración mueva los codos en dirección a los talones.

Imagine: *sienta que sus brazos son dos plataformas elevadoras que mueven el tronco hacia arriba.*
Detalle: *al elevar y descender el tronco, los codos permanecen cerca de este.*
¡Tenga en cuenta!: *¡no deje que el trasero se combe! Es importante que al elevar el tronco, la columna lumbar y la pelvis se estabilicen con ayuda del* powerhouse.

ESPIRACIÓN

> Meta el ombligo para dentro y active el *powerhouse*. Presione la palma de las manos contra el suelo, deslice el esternón hacia delante y eleve primero un poco la parte superior del cuerpo con ayuda de la musculatura de la espalda y después lentamente el resto del tronco, hasta que los brazos queden estirados. Con ayuda de un firme cinturón de fuerza, la pelvis permanece estable y sigue el movimiento de elevación, con la pared abdominal metida hacia dentro.

INSPIRACIÓN/ESPIRACIÓN

> Durante la inspiración permanezca estable y mantenga el tronco elevado. Durante la espiración vuelva lentamente a la posición inicial.

Repita el ejercicio de 6 a 8 veces.

Círculos con las piernas

Los *círculos con las piernas* mejoran
la capacidad general de centrar el
cuerpo. Movilizan la articulación de la
cadera y fortalecen los músculos de esta
zona. Además se estira la cara posterior
de la pierna en movimiento. El ejercicio
parece fácil, pero engaña. Su correcta
ejecución tiene la dificultad de mantener
el tronco estable e inmóvil mientras la
pierna realiza un movimiento de rotación.
Para realizar este ejercicio debe dominar
el ejercicio Círculos de rodillas de la
página 34.

Imagine: *su dedo gordo del pie es
un pincel. Pinte con él círculos
precisos y redondos sobre un papel
situado por encima de usted.*
Detalle: *empiece con círculos muy
pequeños y vigile la estabilidad del
resto del cuerpo, sobre todo de la
cadera del lado contrario. Poco a
poco aumente el tamaño de los
círculos. Ambas nalgas mantienen
un contacto permanente y por igual
con el suelo.*
¡Tenga en cuenta!: *si las caderas
crujen, reduzca el tamaño de los
círculos. Si no puede estirar por
completo la pierna en movimiento,
flexione ligeramente la rodilla.*

POSICIÓN INICIAL

> Estírese boca arriba en posición neutra.
Deje los brazos relajados a ambos lados
del cuerpo, con la palma de las manos
hacia abajo. Estire la pierna derecha
hacia arriba hasta la perpendicular. Pie
en punta. La rótula mira directamente
hacia usted. La zona de hombros y
cuello descansa relajada sobre el suelo.

INSPIRACIÓN

> La pierna elevada se estira hacia arriba,
mientras que la que reposa en el suelo
está extendida.

ESPIRACIÓN

> Mueva la pierna elevada en círculos
hacia fuera y después alejándola de
usted (baja en dirección al suelo).

Mantenga la posición neutra, el
powerhouse activo y los hombros fijados
al suelo.

INSPIRACIÓN/ESPIRACIÓN

> Al inspirar siga el círculo hasta que la
pierna quede otra vez perpendicular
sobre usted. Durante la espiración
empiece de nuevo el círculo. De esta
manera, se crea un movimiento circular
fluido con el ritmo de la respiración.

Dibuje de 8 a 10 círculos limpios en
el aire. Tras una pequeña pausa cambie
de lado.

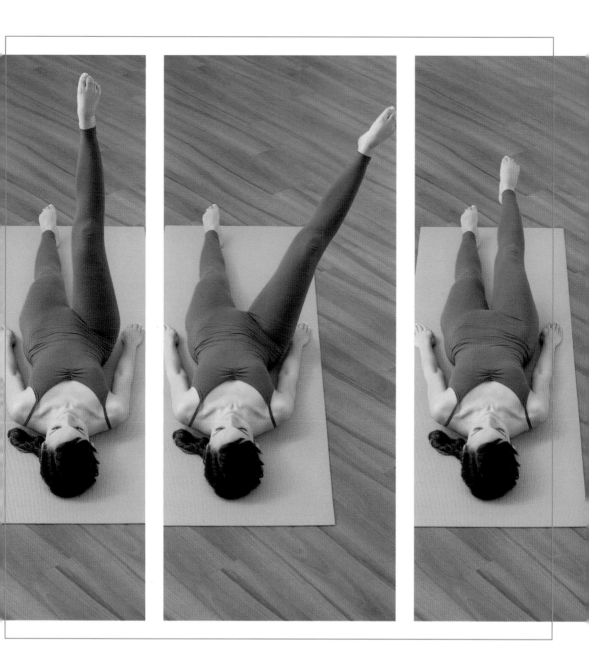

Rodar hacia arriba

Este ejercicio ejercita la musculatura abdominal profunda y sobre todo los músculos rectos. El movimiento segmentario de la columna vertebral, es decir, el rodamiento vértebra a vértebra debería tenerlo por la mano gracias a los ejercicios abdominales presentados anteriormente.

POSICIÓN INICIAL
> Estírese boca arriba con la pelvis y la columna vertebral en posición neutra. El cuello estirado. Descanse los brazos a ambos lados del cuerpo. Las piernas

Imagine: *separa su espalda del suelo como si pelara muy lentamente un plátano. Sus piernas son pesadas como el plomo.*
Detalle: *realice el ejercicio sin esfuerzo en todas sus partes. La zona de hombros y cuello debe permanecer lo más relajada posible. Un* powerhouse *activo es especialmente importante y útil.*
Variación: *las personas expertas realizan una parada a la mitad del movimiento de ascenso y descenso. Coja aire y siga el movimiento de manera controlada con la siguiente espiración.*

están separadas el ancho de las caderas y los pies flexionados.

INSPIRACIÓN

> Lleve los brazos relajados hacia atrás, por encima de la cabeza. Mantenga la posición neutra.

ESPIRACIÓN

> Active el *powerhouse*, al tiempo que mueve los brazos desde atrás hacia arriba y después hacia delante en dirección a los pies. Al mismo tiempo, levante fluidamente del suelo la cabeza, los hombros, los omoplatos, la columna dorsal y la lumbar. Al realizar este movimiento de rodamiento, la columna vertebral forma una «C» y los talones son arrastrados activamente hacia fuera. La mirada está dirigida a los dedos de los pies. Intente rodar el tronco recto hacia arriba. Este movimiento nos lleva hasta la posición de sentado.

INSPIRACIÓN/ESPIRACIÓN

> Al inspirar, estire la columna vertebral y mueva los brazos relajados hacia arriba. Con la siguiente espiración, meta el ombligo hacia dentro, baje los brazos hasta la horizontal, deslice los omoplatos hacia *los bolsillos del pantalón*, ponga los pies en punta y ruede la pelvis hacia atrás sobre las tuberosidades isquiáticas. Ruede fluida y concentradamente, vértebra a vértebra hasta la posición inicial.

Al principio intente realizar como mínimo 4 repeticiones y más adelante, hasta 10.

La sierra

En este ejercicio, a través de la suave inclinación lateral se estiran la espalda y la cara posterior de la pierna.
El movimiento combinado de rotación y estiramiento moviliza la columna vertebral, mejora el rendimiento de la musculatura extensora de la espalda y ejercita la musculatura lateral del tronco. Además, el componente de inclinación hacia delante ayuda a los pulmones a liberar el aire utilizado.

Imagine: *imagine que se inclina sobre una gran pelota de gimnasia. Durante el movimiento de rotación, un ayudante imaginario tira de la punta de sus dedos estirándole los brazos.*
Detalle: *el movimiento descrito debe ser fluido y debe ir sincronizado con el ritmo de la respiración. Durante todo el ejercicio, la parte inferior de la espalda permanece recta. La columna vertebral forma una «C» larga y girada.*

POSICIÓN INICIAL

> Siéntese con las piernas estiradas sobre la colchoneta. Eche los talones hacia fuera y abra bien las piernas. La columna vertebral y la pelvis se hallan en posición neutra. Intente dejar la musculatura anterior de la cadera lo más relajada posible. Si esta posición le resulta difícil, pruebe utilizando un asiento de unos cinco centímetros de alto o flexione ligeramente las piernas. Estire los brazos lateralmente, a la altura de los hombros, con la palma de las manos hacia delante y los codos relajados.

INSPIRACIÓN

> Estire la columna vertebral hasta el cuello y ancle las tuberosidades isquiáticas conscientemente al suelo. Los hombros, los brazos y las manos están extendidos formando un arco.

ESPIRACIÓN

> Con el ombligo metido hacia dentro, gire el tronco (empezando por la cintura), los brazos y la cabeza hacia la derecha. Mantenga los brazos bien abiertos. Una vez realizado el giro, incline el tronco hacia delante por encima de las piernas y deslice la mano izquierda hacia el pie derecho (movimiento de sierra). Las tuberosidades isquiáticas siguen fijadas. La palma de la mano derecha gira en dirección al cuerpo. Se crea un fluido movimiento de rotación e inclinación.

INSPIRACIÓN/ESPIRACIÓN

> Al inspirar vuelva a la posición inicial rodando vértebra a vértebra. Durante la espiración gire hacia el lado contrario.

Repita 5 veces a cada lado.

La sirena

Un maravilloso ejercicio para la cintura y los flancos del tronco. Se trata del primer ejercicio con articulación lateral de la columna vertebral. Mediante el movimiento de estiramiento a ambos lados, damos al tronco una movilidad completamente nueva y mejoramos la calidad de nuestra respiración gracias al estiramiento de los músculos intercostales. Después de un largo día de trabajo (aunque también entre medio), la sirena es un ejercicio realmente divino, ya que nos introduce en una dinámica que contrarresta de manera eficaz el sedentarismo cotidiano.

Imagine: *está sentado entre dos lunas de vidrio y, con los brazos y la parte anterior y posterior del tronco roza ambos cristales.*
Detalle: *mantenga los omoplatos contra la caja torácica y hacia abajo. Deje que el movimiento fluya hacia ambos lados siguiendo el ritmo de la respiración.*

POSICIÓN INICIAL

> Sentado en forma de «Z», con la pierna izquierda delante y la derecha detrás (con el pie apoyado en el empeine). Procure que la parte derecha de la zona

glútea toque el suelo. ¡No se siente
sobre el talón derecho! Levante los
brazos relajados a ambos lados.

INSPIRACIÓN

> Eleve el brazo izquierdo perpendicular
hacia arriba. El omoplato se desliza
hacia abajo. Al mismo tiempo estire la
columna vertebral sin echar el tórax
hacia delante ni formar una lordosis.
El cuello estirado pero relajado.

ESPIRACIÓN

> Incline el tronco hacia el lado derecho.
En caso necesario apoye la mano
derecha en el suelo. Mantenga la

distancia entre la oreja izquierda y el
hombro del mismo lado.

INSPIRACIÓN/ESPIRACIÓN

> Durante la inspiración vuelva a la
posición inicial. Con la espiración,
apoye la mano izquierda alrededor de
medio metro junto a la pelvis y, con el
powerhouse activado, inclínese hacia la
mano apoyada. Para ello, repose el
antebrazo izquierdo y deje abajo la
mitad derecha de la zona glútea.

Inclínese 5 veces a cada lado, cambie las
piernas y repita el ejercicio.

Estiramiento de una pierna recta

Aquellas personas que se pasan sentadas todo el día y que realizan poco ejercicio en su día a día, generalmente tienen una musculatura abdominal débil y los tendones de la rodilla cortos. Con este ejercicio se ejercitan dos puntos importantes: se fortalece la musculatura abdominal profunda y recta y, además, se estira la parte posterior de la pierna.

El estiramiento de una pierna recta es la versión más avanzada y difícil del ejercicio de la página 52 (*Estiramiento de una pierna*).

Imagine: *que tronco y pelvis están anclados a un lecho de hormigón. La pierna en movimiento se desliza por un riel recto.*
Detalle: *durante la espiración, con el ombligo metido hacia dentro y el estiramiento activo de ambas piernas, sentirá un estiramiento en los tendones de la rodilla de la pierna elevada y en la pierna bajada una distensión en la ingle. Estire las piernas todo lo que pueda. La pelvis y el tronco permanecen inmóviles y solo se mueven las piernas. El* powerhouse *está activo en todo momento y la respiración es pulmonar.*

POSICIÓN INICIAL

> Estirado sobre la espalda, alce la cabeza y los hombros del suelo. La parte inferior de la espalda está en contacto con el suelo. La cintura escapular está organizada como habitualmente. Piernas en posición escalonada. Las manos sobre la cara externa de las pantorrillas.

INSPIRACIÓN

> Estire la columna vertebral hasta la coronilla y extienda ambas piernas hacia arriba, con los pies en punta.

ESPIRACIÓN

> Con el *powerhouse* estable, rodee con las manos la pierna izquierda,

acérquela ligeramente hacia el tronco y, al mismo tiempo, baje la pierna derecha por encima del suelo. Meta el ombligo hacia dentro de manera consciente. Ambas piernas están estiradas hasta la punta de los dedos del pie. Los omoplatos hacia *los bolsillos del pantalón*.

manera controlada ambas piernas hasta la perpendicular. Durante la espiración repita el movimiento cambiando de lado.

Levante cada pierna 5 veces.

INSPIRACIÓN/ESPIRACIÓN
> Al inspirar mueva nuevamente de

Entrecruzamiento

Con el estiramiento en línea recta de la pierna, el entrecruzamiento emula el ejercicio de la página 52 (*Estiramiento de una pierna*). Mediante la rotación adicional del tronco, en este caso, además de los músculos rectos y oblicuos del abdomen, también se ejercita sobre todo la musculatura abdominal situada diagonalmente.

POSICIÓN INICIAL
> Échese boca arriba con las piernas en posición escalonada y los pies en punta. Deje que su columna lumbar se

Imagine: *la pelvis y la parte inferior de la espalda se hallan unidas al suelo con cemento.*
Detalle: *al realizar el ejercicio piense que, durante la rotación, son el hombro y la rodilla del lado opuesto los que quieren acercarse y no el codo y la rodilla. No eche los hombros ni hacia delante ni hacia arriba. La fuerza para la rotación del tronco nace intensivamente en el centro corporal. Haga especial hincapié en meter el ombligo hacia dentro con cada espiración. Realice la rotación del tronco por encima del ombligo.*

funda con el suelo. Llévese las manos a la parte posterior de la cabeza, con los codos abiertos. El cuello y los hombros están levantados y la mirada se dirige a las rodillas. Los omoplatos tiran hacia *los bolsillos del pantalón*.

INSPIRACIÓN

> La columna vertebral se estira hasta el cuello. Tiene la sensación de cuello largo.

ESPIRACIÓN

> Meta el ombligo hacia dentro y active el suelo de la pelvis. Mueva el hombro izquierdo en diagonal hacia la rodilla derecha y esta ligeramente hacia el pecho. Al mismo tiempo, estire la pierna izquierda hacia arriba. Los hombros permanecen abiertos. Permanezca en esta posición hasta que acabe de exhalar todo el aire.

INSPIRACIÓN/ESPIRACIÓN

> Durante la inspiración devuelva el tronco y la pierna estirada a la posición inicial. Durante la espiración gire el tronco hacia el otro lado y estire la pierna derecha.

Repita el ejercicio de 4 a 6 veces.

Puente de hombros avanzado

En el puente de hombros colaboran varios músculos para estabilizar el tronco, mientras que la pierna en juego dibuja un amplio arco. El reto más importante es el mantenimiento de la posición neutra de pelvis y columna vertebral. La musculatura posterior del muslo de la pierna de apoyo está muy comprometida.

Imagine: *al bajar la pierna en juego, el dedo gordo del pie dibuja un amplio arco iris.*
Detalle: *en este ejercicio vigile sobre todo que los coxales estén a la misma altura.*
¡Tenga en cuenta!: *finalice el ejercicio antes de que sienta un calambre en la parte posterior de la pierna de apoyo.*

POSICIÓN INICIAL

> Échese boca arriba con el cuello estirado, las piernas separadas el ancho de las caderas y los pies paralelos. Los brazos descansan a ambos lados del cuerpo, con los dedos planos y estirados. Eleve la pelvis hasta que el

tronco y el muslo formen una línea recta. La pelvis y la columna vertebral están en posición neutra. Alce la pierna izquierda estirada en dirección al techo, con el pie flexionado.

INSPIRACIÓN
> El talón de la pierna elevada señala hacia el techo. En este punto, controle que los dos coxales se encuentran a la misma altura y que la pelvis y la columna vertebral sigan en posición neutra.

ESPIRACIÓN
> Baje la pierna en juego, al tiempo que estira el pie. El *powerhouse* asegura la estabilidad de la pelvis en la posición neutra. Baje la pierna solo lo suficiente para que pueda mantener la posición del tronco y que la pelvis no se mueva. Al principio dibuje un arco más pequeño con la pierna.

INSPIRACIÓN/ESPIRACIÓN
> Durante la inspiración eleve la pierna en juego, con el pie flexionado. Al espirar bájela de nuevo con el pie en punta.

Después de 5 ó 6 repeticiones finalice el ejercicio flexionando la pierna en movimiento y apoyándola nuevamente en el suelo. Cambie de lado.

Elevación de caderas

En la *elevación de caderas*, la columna vertebral rueda segmentariamente, empezando desde la cadera, es decir, totalmente al contrario de como se había hecho hasta ahora. De esta manera se fortalece la musculatura abdominal empezando prácticamente desde abajo, lo que representa una base esencial para futuros ejercicios, por ejemplo el de la página 80 (*Rodar por encima*). Para conseguir precisión en la realización del ejercicio es especialmente importante la calidad de nuestro *powerhouse*.

POSICIÓN INICIAL

> Echado boca arriba, mantenga las piernas ligeramente flexionadas y cruzadas, por encima de la pelvis. Los brazos descansan a ambos lados del cuerpo, con la palma de las manos hacia abajo, deslizando los dedos hacia el borde inferior de la colchoneta. El cuello estirado y los hombros relajados.

INSPIRACIÓN

> Mantenga esta posición.

ESPIRACIÓN

> Active su *powerhouse*. Mueva un poco las piernas en dirección a la pared que tiene detrás y eleve uno detrás de otro el cóccix, el sacro y la columna lumbar. Deje que el impulso para este movimiento fluido de elevación de la cadera se genere en su centro corporal.

Imagine: *su pelvis asciende y desciende como un ascensor de movimientos suaves. El* powerhouse *es el motor que lo impulsa.*
Detalle: *al principio, puede ejercer una ligera presión con los brazos contra el suelo para apoyarse, pero más adelante hombros, brazos y manos deben estar lo más relajados posible. Por así decirlo, los hombros se funden con la colchoneta. La calidad no reside en la altura de elevación de la pelvis, sino en la intensidad con la que toma la fuerza necesaria del centro corporal. Si al principio mueve la pelvis solo unos milímetros, es suficiente. Ejercite regularmente y su fuerza crecerá.*
Variación: *no coloque los brazos cerca del cuerpo, sino estírelos alejándolos lateralmente del tronco.*

INSPIRACIÓN/ESPIRACIÓN

> Al inspirar mantenga activo el *powerhouse* y ruede vértebra a vértebra y sin oscilaciones hacia abajo. Finalmente, el sacro se posa suavemente sobre la colchoneta y las piernas quedan en la posición inicial. Durante la espiración empiece otra vez desde el principio. Cuanto más lentamente realice el ejercicio, mayor dificultad y eficacia tendrá.

Intente de 4 a 8 repeticiones correctas.

Empuje con la pierna al frente

Para este ejercicio es necesario un *powerhouse* muy bien entrenado. Solo la posición activa de apoyo fortalece toda la musculatura de tronco, brazos, cintura escapular, pelvis y piernas. Se hace todavía más difícil con la elevación de una pierna a partir del centro corporal. Desde el punto de vista técnico, este ejercicio es de dificultad media, aunque físicamente es uno de los ejercicios de apoyo más difíciles del programa de suelo del Pilates.

Imagine: *usted tiene la sensación de que alguien sostiene su pelvis desde abajo, de manera que no puede descender. Sus músculos rodean el fémur como un apretado vendaje.* Detalle: *el foco no se encuentra a la altura de las piernas, sino que la estabilidad de todo el tronco es mucho más importante. En caso de unos codos demasiado flexibles, deje los brazos flexionados alrededor de 1 cm. En este ejercicio, la cabeza tiene tendencia a caer —manténgala siempre a la misma altura—.*

POSICIÓN INICIAL

> Adopte la posición clásica de flexiones. Todo el cuerpo, desde la coronilla hasta los talones forma una línea recta. La pelvis y la columna vertebral están en posición neutra. Los pies bien juntos. El *powerhouse* está activo y permanece así durante todo el ejercicio.

INSPIRACIÓN

> Estabilice columna vertebral y pelvis, estire el cuello y tire activamente hacia abajo los omoplatos.

ESPIRACIÓN

> Levante la pierna derecha, estírela hacia atrás alargándola lo máximo posible y estire los pies hasta la punta de los dedos. Mantenga la pelvis en posición neutra y no varíe la posición de la columna vertebral.

INSPIRACIÓN/ESPIRACIÓN

> Al inspirar apoye nuevamente el pie en el suelo. Al espirar eleve la otra pierna de la misma forma.

Levante cada pierna 5 veces.

Teaser **modificado**

Nuestro ejercicio *teaser modificado* es
uno de los ejercicios abdominales más
difíciles de este libro y realmente está
pensado para expertos. Este ejercicio
fortalecerá todavía más su cinturón de
fuerza y la musculatura de la cara anterior
del muslo. Para realizar este ejercicio
deberían dominarse imprescindiblemente
el rodamiento segmentario de la columna
vertebral y todos los ejercicios
abdominales que se han presentado
hasta ahora.

Imagine: *es estirado hacia arriba por
un potente imán.*
Detalle: *al levantar el tronco no
debe dejar que la pierna estirada
baje. No contraiga la zona de los
hombros y el cuello. Deje que la
respiración fluya y no la contenga.
Deje deslizarse el tronco sin
movimientos bruscos hacia arriba.*

POSICIÓN INICIAL
> Echado sobre la espalda, la pelvis y la

columna vertebral están en posición neutra. La pierna derecha flexionada y la izquierda estirada y elevada 45°. Los brazos señalan hacia el techo, con las palmas de las manos enfrentadas.

INSPIRACIÓN

> Lleve ambos brazos hacia atrás. No levante el tórax.

ESPIRACIÓN

> Meta el ombligo hacia dentro y contraiga la musculatura del suelo de la pelvis. Mueva los brazos hacia delante dibujando un gran arco y al mismo tiempo ruede la columna hacia arriba, vértebra a vértebra, sin movimientos bruscos, hasta que, sentado, su columna vertebral forme

una «C» larga. No permita que la pierna estirada baje.

INSPIRACIÓN/ESPIRACIÓN

> Al inspirar mantenga la posición. Durante la espiración, primero meta el ombligo hacia dentro y después ruede hacia atrás sobre las tuberosidades isquiáticas y, vértebra a vértebra, realice el movimiento en sentido inverso hasta alcanzar la posición inicial.

Repita de 4 a 5 veces. Seguidamente, estire la pierna derecha, doble la izquierda y realice el ejercicio del otro lado.

Rodar por encima

Este ejercicio estimula toda la fuerza proveniente del centro corporal. El impulso para rodar la columna vertebral se origina en la pelvis y ejercita sobre todo la porción inferior de los músculos rectos abdominales. De esta manera, el ejercicio mejora la articulación de la columna vertebral; las piernas, la espalda y las caderas experimentan distintos grados de fortalecimiento y estiramiento. Para realizar este ejercicio debería dominar el ejercicio de la página 74 (*Elevación de caderas*).

POSICIÓN INICIAL

> Echado boca arriba, con la pelvis y la columna vertebral en posición neutra.

Imagine: *un ayudante imaginario ayuda al movimiento fluido —levanta la cadera durante el rodamiento y evita su caída—.*
Detalle: *al rodar, realice la menor presión posible contra el suelo con los brazos. Ejecute el ejercicio sin movimientos bruscos que lo falseen y hagan desaparecer sus beneficiosos efectos. Durante el rodamiento, no desplace el peso del cuerpo al cuello o la cabeza, sino equilibre el centro de gravedad entre los dos omoplatos. No deje que el tronco se pliegue sin fuerza. Al rodar hacia abajo ancle los hombros contra el suelo.*
¡Tenga en cuenta!: *¡no realice el ejercicio si tiene problemas en los discos intervertebrales!*

Piernas juntas, paralelas y estiradas en dirección al techo.

INSPIRACIÓN

> Estire conscientemente las piernas hacia el techo. Cuello relajado.

ESPIRACIÓN

> *Powerhouse* fuerte, ombligo metido hacia dentro. Con las piernas estiradas, separe la espalda del suelo vértebra a vértebra, empezando por el cóccix. Mueva las piernas con un movimiento fluido por encima de la cabeza hasta que queden paralelas al

suelo. Las tuberosidades isquiáticas quedan mirando al techo. En esta posición intermedia, la columna vertebral forma un arco en «C» armónico: entre la barbilla y el esternón tiene que caber una pelota de tenis.

el ancho de los hombros. Durante la espiración baje la espalda vértebra a vértebra con la ayuda de un *powerhouse* firme. Las piernas permanecen abiertas y los brazos se estiran hacia abajo. Al inspirar, en la posición inicial cierre las piernas y empiece de nuevo desde el principio.

INSPIRACIÓN/ESPIRACIÓN

> Durante la inspiración abra las piernas

Repita el ejercicio de 6 a 10 veces.

Curva lateral

La curva lateral constituye un buen ejemplo del hecho de que muchos ejercicios de Pilates no tratan solo un único músculo, sino que su acción es esencialmente más amplia. Este ejercicio fortalece brazos y hombros, distiende el tronco y por otro lado lo fortalece. Además, favorece el equilibrio. Constituye una estupenda opción de entrenamiento global para expertos con poco tiempo.

Imagine: *sus caderas son elevadas por un montacargas estable.*
Detalle: *controle su posición inicial —el pie derecho, la zona glútea izquierda y la mano izquierda dibujan una línea—. Al presionar hacia fuera y al bajar el cuerpo mantenga fuerte el brazo de apoyo. Estire sus extremidades todo lo que pueda formando un arco armónico, sin perder la relación entre las costillas y la pelvis; ¡no caer en la lordosis!*

POSICIÓN INICIAL

> Siéntese sobre la parte izquierda de los glúteos, con la pierna derecha doblada y la pierna izquierda apoyada en el suelo y ligeramente flexionada. El pie derecho se sitúa por delante del izquierdo. La mano izquierda descansa plana sobre el suelo, a cierta distancia de la cadera y la mano derecha descansa sobre la rodilla derecha con la palma mirando hacia arriba.

INSPIRACIÓN

> Estabilice ambos omoplatos, sobre todo el izquierdo. Descanse su peso sobre el brazo izquierdo.

ESPIRACIÓN

> Presione el pie derecho contra el suelo y estire ambas piernas al tiempo que alza la pelvis y el tronco hacia arriba. Paralelamente, lleve el brazo derecho en un amplio arco, primero hacia delante y después por encima de la cabeza, hasta que la parte superior del brazo quede al lado de la oreja.

INSPIRACIÓN/ESPIRACIÓN

> Al inspirar vuelva a la posición inicial siguiendo a la inversa todos los pasos. Durante la espiración empiece de nuevo desde el principio. Apoye los glúteos sobre el suelo solo después de la última repetición.

Repita el ejercicio de 5 a 8 veces y cambie de lado.

Empujar hacia arriba

Estará preparado para este ejercicio
cuando domine sin problemas los
ejercicios *Presión hacia arriba*, *Zambullida
de cisne* y *Empuje con la pierna al frente*.
Debe ser capaz de aplicar perfectamente
todos los principios del método Pilates.
Estas flexiones mejorarán la estabilidad del
tronco y fortalecerán sus brazos, al tiempo
que ejercitan con gran eficacia la
musculatura de sostén de la columna
vertebral.

POSICIÓN INICIAL

> Adopte la así llamada posición en
tejado, en la que las manos se apoyan
separadas el ancho de los hombros y
los pies el ancho de las caderas. Las
tuberosidades isquiáticas apuntan al
cielo y las piernas están estiradas,

Imagine: *una grúa tira de su pelvis
hacia arriba en la posición de tejado.
Una vez en esta posición, haga
fuerza con los brazos como contra un
fundamento estable que le quieren
retirar.*
Detalle: *al flexionar los brazos,
mantenga los codos pegados al
tronco. Envuelva el fémur con los
músculos, como si se tratara de un
apretado vendaje.*

siempre que la elasticidad de los
tendones de la rodilla se lo permita.
Deje descansar relajadamente los
talones sobre el suelo. La espalda está
estirada y forma una línea con los
brazos. Las orejas quedan al lado de la
parte superior de los brazos.

INSPIRACIÓN

> Al inspirar deslice los hombros hasta la
altura de las manos. Todo el cuerpo
está recto y estable como una tabla de
planchar y es sostenido por las manos y
las puntas de los dedos del pie. La
pelvis y la columna vertebral se hallan
en posición neutra y los omoplatos
tiran activamente hacia *los bolsillos del
pantalón*. Sin solución de continuidad,
flexione los brazos de manera que todo
el cuerpo baje hasta casi tocar el suelo.

ESPIRACIÓN

> Una vez más, meta el ombligo

conscientemente hacia dentro, vuelva a estirar los brazos hasta la posición de tabla de planchar y siga con un movimiento fluido hasta la posición inicial.

Empiece con 4 repeticiones y vaya subiendo hasta llegar a 8. Los verdaderos profesionales repiten este ejercicio 12 veces.

INSPIRACIÓN/ESPIRACIÓN

> Empiece el ejercicio desde el principio.

Programa de 5 ejercicios principales

Aquí encontrará algunos programas de 5 ejercicios principales para diversas situaciones. Cada uno de ellos requiere de unos 10 a 15 minutos. El nivel es de principiante hasta iniciado. ¡Diviértase mucho!

5 principales para una espalda fuerte

Puente básico (págs. 32/33)

Elevación de rodillas (págs. 56/57)

Natación (págs. 48/49)

Estiramiento diagonal (págs. 42/43)

Giro de columna (págs. 44/45)

5 principales para un trasero firme

Estiramiento diagonal (págs. 42/43)

Moldear el trasero (págs. 36/37)

Patada lateral (págs. 54/55)

Natación (págs. 48/49)

Puente básico (págs. 32/33)

5 principales para un abdomen más firme

*Bucle clásico
(págs. 30/31)*

*Rodillas arriba y abajo
(págs. 50/51)*

*Medio rodamiento hacia
abajo (págs. 40/41)*

*El cien
(págs. 46/47)*

*Rodar hacia arriba
(págs. 62/63)*

5 principales para más elasticidad

*Brazos en arco iris
(págs. 26/27)*

*Círculos con
las piernas
(págs.
60/61)*

*Estiramiento de una pierna
(págs. 52/53)*

*Gato básico
(págs. 24/25)*

*La sirena
(págs. 66/67)*

5 principales para una buena figura

*Bucle clásico
(págs. 30/31)*

*Patada lateral
(págs. 54/55)*

*El cien
págs. 46/47)*

*Presión hacia arriba
(págs. 38/39)*

*Moldear el trasero
(págs. 36/37)*

Ejercicios para la oficina

PIEDRA MOVEDIZA
NUNCA CRÍA MOHO

Un cuerpo que debe permanecer sentado muchas horas al día sufre enormemente. Los músculos se atrofian, las articulaciones pierden movilidad, de alguna manera parece que todo literalmente se oxida. ¿Lo ha sentido alguna vez? Tensión cervical, dolor de espalda o de cabeza –la falta de ejercicio durante un largo día de trabajo hace que las personas nos sintamos rígidas–. ¡Pero existen métodos muy sencillos para combatir esa rigidez! En algunas oficinas ya se hace: la impresora se encuentra en el pasillo o en la habitación de al lado y no al alcance de la mano, con frecuencia el fichero que necesitamos no se encuentra dispuesto sobre la mesa sino en una estantería, a unos pasos, etc. Esto ya es algo, ya que varias veces al día nos vemos obligados a levantarnos de nuestra cómoda silla e interrumpir por unos momentos el trabajo. Aquellas personas que trabajan en una oficina en la que se han introducido estos cambios pueden estar contentas. Pero no todo el mundo puede disfrutar de un lugar de trabajo con estas características. En ese caso, debe optarse por otras posibilidades, como, por ejemplo, algunos ejercicios de Pilates. En las siguientes páginas

exponemos los que, a nuestro parecer, son los 5 mejores.

MOVIMIENTO DIRIGIDO

Si observamos a una persona sentada ante el ordenador constataremos determinadas posturas características:
> los hombros echados hacia delante,
> la espalda encorvada,
> el vientre presionado y los músculos flojos,
> el tórax hundido y la respiración pesada,
> caderas y rodillas flexionadas y los músculos de estas articulaciones acortados.

Existen ejercicios del programa Pilates muy adecuados para estas posturas características, que a la larga son perjudiciales para el cuerpo.
Las contrarrestan y como pausas de ejercicios nos llevan solo unos minutos. El bienestar y el aumento del rendimiento que representan compensan sobradamente el tiempo que les dedicamos.

Rodar hacia abajo con silla

El original lo encontrará en la página 40 como ejercicio de suelo. Para la variante de oficina necesitará preferentemente un taburete o una silla robusta.

DESCRIPCIÓN DEL EJERCICIO

> Siéntese en el centro de una silla y note las dos tuberosidades isquiáticas. Los pies están separados la distancia entre las caderas.

Inspiración: levante los brazos y lleve columna vertebral y pelvis a la posición neutra.

Espiración: meta el ombligo hacia dentro y ruede hacia atrás sobre las tuberosidades isquiáticas, vértebra a vértebra. Simultáneamente, levante por la cadera una pierna flexionada. ¡«C» larga en la columna vertebral!
Al inspirar vuelva a la posición inicial y al espirar repita el ejercicio con la otra pierna.

En total, rodar y erguirse 10 veces.

Tirar la pierna al frente con mesa

Este ejercicio ya lo conoce de la página 76. Para realizarlo necesita una mesa firme o una repisa.

DESCRIPCIÓN DEL EJERCICIO

> Apóyese tal como se muestra en la fotografía con las manos separadas el ancho de los hombros contra el canto de una mesa. Pies juntos y de puntillas.

Inspiración: levante el pie izquierdo unos milímetros del suelo. Pelvis y columna vertebral en posición neutra y mantenga la cabeza recta.

Espiración: meta el ombligo hacia dentro y levante la pierna izquierda hacia atrás con el pie en punta. ¡No caer en la lordosis!
Al inspirar flexione el pie y bájelo de nuevo. Eche los omoplatos en todo momento hacia abajo. Mantenga el tronco fijo.

Levante la pierna un total de 8 veces y repita con la otra pierna.

Sirena con silla

Esta variante de la sirena constituye una buena alternativa para la oficina. En la página 66 encontrará el ejercicio de suelo original.

DESCRIPCIÓN DEL EJERCICIO

> Siéntese en la mitad anterior de una silla. Abra bien las piernas y mantenga la pelvis y la columna vertebral neutras. Abra los brazos hacia los lados.

Inspiración: estire el cuello y eche los brazos hacia abajo. Los hombros y los brazos se abren.

Espiración: incline el tronco hacia la izquierda sin girarlo. Al mismo tiempo mueva el brazo derecho en diagonal hacia arriba y el izquierdo en diagonal hacia abajo. Ambas tuberosidades isquiáticas se mantienen fijadas al asiento.

Inspiración: lleve el tronco nuevamente a la perpendicular y los brazos a ambos lados. Al espirar repita el ejercicio al otro lado.

Repita 4 veces alternando un lado y el otro.

Giro de columna con silla

Un buen ejercicio para combatir un poco la rigidez de la columna vertebral en la oficina. En la página 44 encontrará el ejercicio original perfectamente explicado.

DESCRIPCIÓN DEL EJERCICIO

> Siéntese en el centro de una silla y sienta las dos tuberosidades isquiáticas. Los pies están separados el ancho de las caderas y la pelvis y la columna vertebral están en posición neutra. Los brazos forman un gran círculo. Las puntas de los dedos se tocan.

Inspiración: estire la columna vertebral.
Espiración: meta el ombligo hacia dentro y empiece a girar el tronco por la cintura. La mirada se fija en las manos y estas permanecen en todo momento justamente delante del esternón.
Al inspirar vuelva a la posición inicial y al espirar gire hacia el otro lado.

En total realice 10 giros alternativos a derecha e izquierda.

Estiramiento isquial de pie

Éste es un importante ejercicio para estirar sin esfuerzo la musculatura de la cara posterior de la pierna y para fortalecer la musculatura de la espalda.

DESCRIPCIÓN DEL EJERCICIO

> Colóquese de pie ante una silla y apoye el talón derecho con la pierna estirada sobre el asiento. La pierna sobre la que se sostiene está estirada. Los brazos señalan hacia delante.

Inspiración: levante los brazos, estire la columna vertebral hasta el cuello y tire los omoplatos hacia *los bolsillos del pantalón*.

Espiración: meta el ombligo hacia dentro e incline el tronco hacia delante con la espalda recta. Las tuberosidades isquiáticas tiran por detrás hacia arriba. Debe notar un estiramiento en los tendones de la rodilla derecha.

Al inspirar alce nuevamente el tronco y baje los brazos hasta la horizontal.

Repetir 10 veces de cada lado.

Índice de ejercicios

Índice alfabético

Los autores

Wolfgang Miessner
Enseña desde hace más de
dieciocho años programas de
ejercicios orientados a la salud.
Desde hace muchos años se
dedica activamente al método
Pilates. Es profesor diplomado de
gimnasia y deporte, tiene licencia
como entrenador de *fitness* y es
profesor certificado de Pilates por
la Polestar Pilates Deutschland.
En su estudio de yoga y Pilates de
Múnich, el cual dirige junto a
Amiena, se ha especializado en
cursos de Pilates orientados a la
salud para la espalda.

Amiena Zylla
Tiene más de diez años de
experiencia en la práctica
pedagógica. Es profesora
diplomada de gimnasia,
pedagoga de danza y profesora
de Pilates certificada por la
Polestar Pilates Deutschland.
En su estudio de yoga y Pilates
de Múnich da clases a niños y
adultos, ofrece cursos y *workshops*
especiales para mujeres, así como
workshops de Pilates y de
perfeccionamiento.

Advertencia

Este libro ha sido redactado con sumo cuidado. Sin embargo, los datos incluidos no están garantizados. Ni los autores ni la editorial pueden asumir la responsabilidad de los eventuales perjuicios o daños resultantes de la información contenida en este libro.

Título de la edición original: Pilates Quickies

Es propiedad, 2008
© BLV Buchverlag GmbH & Co. KG, Múnich

© de la edición en castellano, 2010:
Editorial Hispano Europea, S. A.
Primer de Maig, 21 - Pol. Ind. Gran Via Sud
08908 L'Hospitalet - Barcelona, España.
E-mail: hispanoeuropea@hispanoeuropea.com

© fotografías: Ulli Seer
© ilustraciones: Jörg Mair, Múnich

© de la traducción: Margarita Gutiérrez

Agradecemos a la firma American Apparel y a KAMAH - yoga & style el equipamiento de nuestros modelos.

Depósito Legal: B. 43.051-2010

ISBN: 978-84-255-1971-0

Impreso en España
Limpergraf, S. L.
Mogoda, 29-31 (Pol. Ind. Can Salvatella)
08210 Barberà del Vallès

Consulte nuestra web:
www.hispanoeuropea.com